롤모델보다 **레퍼런스**

3

KB085929

롤모델보다 **레퍼런스 3**

나의 일과 가치가 공존할 수 있을까요?

배태랑·박예지

ginger T project
진저티프로젝트

목차

일과 **가정, 삶**을 고민하는
여성 커리어가 궁금한
배태랑이 만나다

05

'페미니즘의 이해' 수업에서 진저티프로젝트 서현선 대표의 강의를 듣고 '일'이라는 개념이 낯설게 다가왔다. 경력단절을 겪었지만 일하고 싶은 욕구로 자기 일을 만들어 내고 회사의 성공보다 개인의 성장을 목표로 개인과 사회의 변화를 만들어가는 모습이 큰 충격이었다.

지금까지 나는 일에 대해 깊게 고민해본 적이 없었다. 나는 어떤 가치를 위해, 어떤 모습으로 일하고 싶은 걸까? 때로는 사회적 가치를 위해 일하고 싶기도, 현실적으로 돈을 많이 벌고 싶기도 하다. 다양한 사람과 소통하는 직업을 갖고 싶다가도, 오롯이 혼자 일을 꾸려가 보고 싶다는 생각을 한다.

창업 붐을 타고 직접 사업을 시작해 자기 일을 적극적으로 만들어가는 주변 친구들도 있고, 어떤 친구들은 고시를 준비하거나 안정적인 직장을 꿈꾸기도 한다. 다들 자신의 길을 잘 만들어나가고 있는데 어떤 길을 가야할지 갈팡질팡하는 내 모습을 마주할 때면 자신의 커리어를 탄탄히 다져가고 있는 선배 여성들이 무척 궁금했다. 다들

어떻게 자기 일을 선택했을까? 내가 나만의 일을 찾아갈 수 있을까?

　또 한 가지 큰 고민. 대학 입학 후, 가족과 처음으로 떨어져 지내게
된 시간을 통해 나는 '가정'의 소중함을 생각해보게 되었다. 사소하지만
당연하지 않은 것들을 당연한 마음으로 내어주고, 곁에서 든든하게
응원을 보냈던 따뜻한 가족이 있었기에 학창 시절이 외롭지 않았다는 걸
마음 깊이 느낄 수 있었다.

　또한 나는 신앙인으로서 사랑하는 사람이 되고 싶다는 신념이 있다.
나 혼자 살기 급급한 세상에서 누군가에게 조건 없는 사랑을 베풀어 줄
부모가 된다는 것 그리고 이해할 수 없어도 이해하고자 노력하게 되는
사람들이 생긴다는 건 내 인생에서 꼭 필요한 가치라는 생각이 든다.

　하지만 페미니즘을 접하고 나의 이런 바람이 비현실적인 꿈일지도
모른다는 두려움이 생겼다. 출산 후 경력 단절 여성 비율을 보면서 일과
가정을 함께 갖는다는 것은 거의 불가능한 이상이라는 지표가 눈앞에
생생히 보였다. 전형적으로 떠오르는 커리어 우먼은 결혼하지 않고
일에만 매진하여 높은 자리에 남자들과 동등하게 서는 모습인데 이게
과연 내가 원하는 삶의 모습일까? 나는 일을 잘하고 싶은 욕심도 많지만
가정을 포기하고 싶지도 않다. 일과 가정을 병행할 방법은 없는 걸까?

　일과 가정, 삶을 고민하는 일하는 여성들을 직접 만나 조언을 구하고
싶었다. 나와 비슷한 고민의 여정을 지나 일과 가정 모두를 잘 가꾸어
나가고 있는 홍혜진 님과 경력보유 여성을 위한 채용 플랫폼 '위커넥트'
를 창업한 김미진 님을 만났다.

1 구글 아시아 어카운트 리드
홍혜진

\# 상황에_맞는_최선의_솔루션
\# 일터는_나의_삶에_맞는_공동체
\# 60%의_무한한_가능성

구글 아시아 어카운트 리드 홍혜진은 두 아들을 양육하는 엄마다. 광고 대행사, 삼성전자, 그리고 구글^{Google}과 같은 글로벌 대기업을 거친 그의 커리어는 전략적으로 잘 계획하고 선택한 것 같았다.

'워킹맘' 하면 떠오르는, 늘 하루 24시간이 부족해 발을 동동 구르는 타임푸어의 이미지를 떠올리며 혜진 님을 만나러 구글 코리아 사무실로 향했다. 대학생들에게 꿈의 직장이라 불리는 곳을 거쳐오면서 일과 가정 모두를 잘 가꾸어 온 혜진 님은 도대체 어떤 기준과 원칙으로 커리어를 만들어 왔을지 무척 궁금하고 기대가 되었다.

현재 구글에서 어떤 업무를 하고 계세요?

> 구글의 파트너인 글로벌 기업이 구글 플랫폼을 잘 활용해서
> 마케팅을 효과적으로 할 수 있도록 컨설팅하는 업무를 맡고
> 있어요.

**지금까지 커리어가 궁금해요. 대학생 입장에서 혜진 님의 대학생 시절도
궁금하고요. 분명 혜진 님도 그 시절 진로 고민을 하셨을 텐데 저처럼
방황한 순간도 있었을까요?**

> 어떤 방황을 하고 계세요. 요즘?

**저는 미래에 대해 걱정이 많아요. 내가 하고 싶은 일이 무엇인지 확신이
없고 미래에 언젠가 가정을 꾸리고 싶은 사람으로서 일과 가정의 양립이
가능할지 걱정이 돼요.**

저도 대학생 때 했던 고민이에요. 누구나 한 번씩 하는 고민이지 않을까요?

정말 제가 너무 좋아서, 가슴이 뛰어서 한 선택이 별로 없는 거 같아요. 불문과 전공은 성적에 맞추어 선택했어요. 커리어를 잘 만들어가고 싶은 욕심은 있는데 하고 싶은 일이 무언지 잘 모르겠어요. 그러다 보니 사회적 기준을 따르게 되고 '내 것', '내 자아'가 없는 것 같아 고민스러워요. 이런 게 말로만 듣던 대2병인가 싶기도 하고요(웃음). 목표를 정하고 그에 맞는 커리어 플랜을 짜야 한다고 생각하니 마음이 불안해요. 혜진 님은 이 시기에 어떠셨어요?

저도 대학이 인생의 목표인 학창 시절을 보낸 것 같아요. 합격, 입학만 하면 모든 게 해결될 것으로 생각했죠. 전 신문방송학과를 졸업했는데 당시 유행이던 드라마 영향으로 신방과가 멋지다고 생각했어요. 쿨해 보였죠. 태랑 님처럼 불확실성 속에 있었지만 그때 가장 내가 원하는 선택을 한 거 같아요. 그게 잘못된 길이었을 수도 있고 더 돌아가야 하는 길일 수도 있지만 당시에는 나에게 제일 잘 맞을 것 같아서 선택한 거예요.

"

불확실성 속에 있었지만
그때 가장 내가 원하는 선택을 한 거 같아요.
그게 잘못된 길이었을 수도 있고
더 돌아가야 하는 길일 수도 있지만
당시에는 나에게 제일 잘 맞을 것 같아서
선택한 거예요.

"

졸업 후 미디어 에이전시에서 사회생활을 시작하셨잖아요. 첫 직장은 큰 의미가 있을 것 같은데 많은 선택지 중에 광고회사를 선택한 이유가 궁금해요.

대학생 때는 아나운서가 되고 싶었어요. 주목받는 직업이고 제가 말을 잘하는 편이어서 잘할 수 있겠다고 생각했어요. 그런데 아카데미에서 성형 권유를 받았죠. 그건 제 가치와 맞지 않아서 기자나 PD로 방향을 전환했어요. 그때 공중파 방송 3사 채널로 한정되어 있다가 막 케이블 채널이 만들어지기 시작하면서 미디어 업계에 지각변동이 있었어요. 채널이 갑자기 늘어나고 인터넷 붐이 일면서 '미디어 플래닝media planning'이라는 새로운 직업군이 생겨난 거죠. 그래서 새롭게 더 빨리 클 수 있는 영역이라고 판단했고 광고회사에서 미디어 플래너로 일을 시작했죠.

당시 막 생겨나기 시작한 새로운 분야인데 분위기는 어땠나요?

제가 처음부터 대기업에 입사했다면 계급적 분위기에 주눅 들었을 것 같고 신입 사원으로 협소한 일만 접했을 텐데 맨파워 중심의 광고회사는 주니어 때부터 다양한 일을 접할 수 있었어요. 그래서 더 많이 경험하고 배울 수 있었다고 생각해요.

조직 분위기도 무척 활동적이고 자유로웠어요. 사람들이 매우 역동적이고, 업무도 창의적이어야 해서 낮에 아이디어가 떠오르지 않으면 밤에 일하기도 했고요. 게임을 하거나 음악을 틀어놓는 사람들도 있었죠(웃음). 물론 업무 강도는 정말 높았고 밤샘 작업도 자주 했지만 자유로운 분위기에서 배우는 게 많고 재미있었어요.

그 이후에 삼성으로 이직한 계기가 궁금해요.

이직을 고민하면서 가정, 경제, 커리어 세 가지 측면을 생각했어요. 광고회사에서 신입으로 일할 땐 싱글이었고 가정에 대한 부담이 없었어요. 결혼 후에도 남편과 제가 서로의 라이프 스타일을 존중하고 가사도 양분했는데 아이를 갖고 고민이 시작됐죠.

아이가 돌이 될 때까지는 주중에 친정에 아이를 맡기고 주말에만 가서 아이와 함께 보냈어요. 그때까지는 아이가 있어도 바쁜 광고 회사에서의 삶을 감당할 수 있을 정도였어요. 그런데 1년이 지나니 아이가 날 알아보기 시작했어요. 같이 사는 게 중요하다는 생각이 들었죠. 그래서 좀 더 시간 관리를 할 수 있는 곳으로 옮기는 게 좋겠다는 결론을 내렸어요.

마침 그때 삼성전자로 이직한 이전 상사 한 분이 저에게 오퍼를 주셨어요. 그래서 경력으로 삼성에 입사하게 되었죠. 아이가 생기고 더 큰 집이 필요했는데 마침 회사가 수원이어서 집을 넓혀 이사할 수 있는 경제적 조건과도 잘 맞았죠.

커리어 적으로도 국내 로컬에서 글로벌로 스펙트럼을 넓힐 수 있는 기회라고 생각했어요. 무엇보다 직장 어린이집이 잘 되어있어서 아이와도 같이 살면서 이전 회사보다 업무 시간 관리가 가능한 회사라고 생각되어 이직을 결심했어요.

최선의 솔루션

삼성 같은 대기업 조직 문화가 굉장히 엄격하고 계급적이라고 들었는데 어땠나요?

광고 회사를 퇴사하고 처음 삼성에 출근했을 때 200~300명이

넓은 사무실에 앉아 있는데 개미 소리 하나 안 나고 정말 조용한 거예요(웃음). 이전 광고 회사는 엄청 자유로운 분위기에 아이디어도 많이 내고 소통을 많이 했는데 여기는 시스템이 잡혀있는 곳이라 각자 본인의 일만 하느라 조용하더라구요. 첫날 가서 한마디도 안 했어요(웃음).

처음에는 그런 문화가 숨 막혔어요. 또 가장 큰 차이점 중 하나가 결재라인 여부였어요. 광고 회사는 트렌드에 맞게 빨리 광고를 집행해야 하니 보고서를 올리고 결재받을 시간이 어디 있겠어요. 그냥 회의에서 '이거 어때? 저거 하자' 하면 바로 의사 결정이 끝나는데 삼성은 결재 보고를 부장님, 상무님, 전무님, 사장님 버전으로 다 따로 만들고 통과해야 했어요. 그 일로 야근도 해야 하고 리뷰도 해야 하니까 적응이 잘 안 됐죠.

이직 후 일과 가정의 양립이 잘 이루어졌나요? 아이와 같이 지내려고 이직을 결심하셨잖아요.

당시 해외 출장이 매우 많았어요. 출장 가거나 집에 늦게 가면 친정 부모님이 저희 집에 오셔서 온전히 24시간 아이를 돌봐주셔서 그 일을 할 수 있었고요. 부모님의 도움이 없었다면 당연히 못 했을 거 같아요.

그런데 출장이 너무 많다 보니까 아이한테는 좋지 않더라고요. 엄마와 애착 형성이 안 되어 있었어요. 아이 입장에서 '엄마는 항상 내가 필요할 때 출장을 간다'는 서운함이 계속 쌓이고 초등학교에 입학하면서 환경도 달라지니 큰 스트레스를 받았던 거죠. 아이가 그동안 쌓였던 불만을 터뜨리며 화도 많이 내고 분노를 조절하지 못하는 이상 징후를 보여 1년 동안 놀이 치료를 받았어요.

치료 선생님은 아이가 그동안 잘 지내왔지만 속으로는 많이 참았던 거고 일부러 쿨한 척, 괜찮은 척, 반대의 감정 표현을 했다고 하시더라고요. 그때 아이가 '엄마 출장 잘 다녀와. 선물 사 와' 이런 식으로 말하길래 괜찮아 보였거든요. 근데 제가 '우리 아들은 역시 성숙해'라고 잘못 생각했다는 걸 깨달았죠. 삼성에서 일할 때 커리어 적으로 재미있었고 국내에서 해외로 업무 영역을 확장할 수 있어서 배운 점도 많지만 아이한테는 상처가 되는 시간이었어요. 그래서 이직을 고민하기 시작했죠.

여기서 궁금한 점이 있어요. 일이 너무 재미있고 좋은데 내 커리어를 포기하고 오로지 아이를 위해서 회사를 그만두거나 이직을 하는 상황이 미래에 제가 가장 걱정하는 상황이거든요. 양자택일해야 하는 상황이요. 그러면 삼성에서 구글로의 이직은 아이와의 애착을 좀 더 고려한

선택인가요?

아니요. 그 이유 때문만은 아니고, 복합적인 이유가 있었어요. 대기업은 제품 출시 일정이나 임원 스케줄 변화에 따라 갑작스러운 야근, 출장, 주말 출근 등이 생기기도 해요. 아이를 위해서는 그런 불확실성이 계속되면 안 되겠다는 생각이 들었어요. 그리고 아이가 초등학교에 입학하면서 학부모로서도 여러 가지 신경 쓸 게 많아졌어요. 제가 일 때문에 항상 학부모 모임에 참석을 잘 못 하니까 좀 더 유연한 조직으로 옮기고 싶다는 욕구가 생기더라고요.

커리어 적으로도 당시 급부상하는 구글, 페이스북 등 인터넷 매체들이 삼성과 협업을 막 시작하던 시기여서 여러 디지털 플랫폼 본사에 방문한 적이 있었어요. 그때 새로 꿈틀대는 이 회사들은 뭘까 호기심이 들었고 대기업이 지루하게 느껴지더라고요. 그 이전, 전통적인 방송 3사에서 케이블을 거쳐 다이내믹하게 매체 환경이 변화해 온 걸 보다가 이제 디지털 시대가 오고 있는데 이쪽 분야로 가는 게 나의 커리어에 도움이 되겠다는 생각이 들었어요. 마침 저와 일하던 구글 뉴욕 팀이 한국에 팀을 꾸리고자 했고 저한테 오퍼가 왔어요.

혜진 님의 커리어 전환은 항상 제안을 받고 이직하며 만들어 졌네요. '사람을 통한 연결'이 새로워요. 갑자기 저도 주변 사람들이 어떤 연결점이 될지 기대가 돼요(웃음). 그러면 현재 구글이 혜진 님께 가장 이상적인 솔루션인가요? 일과 가정을 양립할 수 있는?

저는 그냥 그 당시에 제가 가장 필요하고 좋았던 조직에 몸담고 있다고 생각해요. 이직이 필요한 상황에서 제가 가지고 있는 문제가 뭔지 보고, 그 상황에 가장 좋은 솔루션이 뭘까 고민했어요. 가정과 일을 동시에 고민하며 두 가지 모두 잘 충족할 수 있는 솔루션을 기준으로 선택해 왔어요.

제가 젊고 아이도 없었을 때는 좀 더 활동적이고 재미있는 일을 추구했기 때문에 광고회사 업무와 조직 문화가 당시의 저와 잘 맞았던 거고, 삼성으로 이직했을 때는 아이가 처음 생기고 어느 정도 내 시간과 커리어 발전이 필요했던 시기라 안정적인 대기업이 이상적이었던 거죠. 구글로의 이직도 좀 더 유연한 근무환경을 고민한 게 인연이 되었어요. 제 직업 선택은 당시 환경에서 최선이자 이상적인 솔루션이었고, 뒤돌아 보면 그 때의 선택이 퍼즐조각처럼 맞춰진다고 느껴질 때가 있어요.

'퍼즐조각'이란 단어가 제 마음에 너무 와닿아요. 그러면 구글은 어떤 조직인가요?

구글은 정말 수평적인 조직이에요. 삼성은 인트라넷에 조직도가 다 나와요. 구글은 누굴 찾으려면 이름으로 검색해야 해요. 그 사람의 개인적인 면이 더 중요한 거죠. 업무적으로도 지시는 전혀 없고 내가 하고 싶은 프로젝트에 대해 매니저와 상담하면 우리 조직에 잘 맞는 프로젝트인지 컨설팅해 줘요. 함께 하면 좋을 사람들을 추천해 주기도 하고요.

'내가 이런 프로젝트를 하려고 하는데 너의 OKR^{Objective, Key Results,} 목표와 핵심결과에 잘 맞아? 우리 같이해볼래?' 이렇게 여러 사람을 스스로 직접 설득해야 하고 제 프로젝트와 잘 맞는 사람들이 계속 함께 일하는 문화에요. 그래서 한편 경쟁이 심하기도 하죠.

전 오히려 삼성이 경쟁이 더 심할 줄 알았어요.

삼성도 경쟁이 있지만 구글과는 좀 다른 경쟁이죠. 삼성은 예측할 수 있는, 어느 정도 정해진 틀 안에서의 경쟁이라면 구글은 예측이 어렵고 자기가 스스로 계획하고 선택해야 하죠. '구글스러운 사람^{googley person}'의 뜻은 뭐든지 긍정적이고 협력적이고 내 일의 영역이 아니더라도 적극적으로 협업하는 사람이에요. 그래서 항상 내 업무 이외에 다른 일도 봐야 하죠. 이런 태도가 나중에 동료평가에 반영돼요. 저 사람이 다른 사람의 일에 좋은 영향을 주는 구글스러운 사람이었는지에 관해서요.

육아휴직 복귀 후 생긴 일

구글 이직 후 얼마 안 되어 둘째가 생겼다고 들었어요.

바쁘게 살다가 둘째가 생겼죠. 첫째를 낳은 후 8년이 지난 때였어요. '우리는 하나만 키우면 되나 보다. 이렇게 부모님도 날 도와줄 수 있고 딱 알맞다'라고 생각했는데 이직 후 둘째가 생겼죠. 처음엔 멘붕이었어요. '이 나이에? 이제 다 키웠는데?'라는 생각이 들면서 울기도 했는데 어쨌든 하나님이 주신 소중한 생명이고 저에게 가장 좋은 시기에 주셨다고 믿었죠.

바로 다음 주에 회사에 이야기했어요. '난 아이를 가졌고 노산이라 출산 휴가를 빨리 들어갈 예정이다. 육아휴직도 길게 쉴 거다'라고 선언을 했어요. 출산 후 1년 반 휴직하면서 남편에게도 1년 휴직을 권했어요. 첫째를 키울 때 아이와 함께 보낸 시간이 많이 없었는데 둘째가 태어나면서 가족이 함께 시간을 보낼 기회가 생겼다고 판단해서 저와 신랑 모두 동시에 육아휴직을 냈어요. 큰아이에게도, 우리 부부에게도 무척 좋은 시간이 되었죠.

육아휴직에서 복귀했을 때 다시 일에 적응하기 힘들지는 않으셨어요?

막연한 두려움이 있었어요. 1년 넘게 경력단절이 되었던 건데 사회로 나갈 때 뒤처져있지 않을까 이런 걱정이 많았죠. 회사에 복귀해서 보니 엄마가 되어 다시 회사로 돌아온 나를 보호하고 지지해주는 장치가 전혀 없었어요. 오히려 이전 직장인 삼성은 대기업이라 모성보호를 위한 시스템적인 관리는 잘 되어있었거든요. 당시 구글 한국 사무실 임직원 평균 나이가 28세로 굉장히 젊었어요. 이제 막 엄마가 되어 다시 회사로 돌아와 고군분투하는 저 같은 직원들을 도와줘야겠다고 생각하기 시작한 시기였어요.

구체적으로 어떤 활동을 하신 게 있는지 궁금해요.

제가 육아휴직에서 돌아왔을 때가 2018년이었는데 구글 코리아 오피스에서 베이비 붐이 일어나고 있었어요. 다양성diversity과 포용inclusion은 구글에서 정말 중요한 가치인데 출산과 육아휴직은 이 주제에서 사각지대였어요. 고민하다 주변에 물어봤어요. 육아휴직을 생각하는 임신 중인 매니저나 후배들도 관련 제도나 기준에 대해 알고 있는 게 전혀 없더라고요. 들어본 적도 없다고 하고요. 제가 매니저 교육을 해봐야겠다는 생각이 들었죠. 매니저는 팀원을 먼저 챙기는 사람인데 출산·육아휴직에 대해 전혀 모르거나 생각해본 적도 없는 비혼이 많았어요.

매니저 교육이요?

육아휴직 후 돌아오면 남녀 모두 업무적으로 지치고 육체적으로 힘이 들잖아요. 일터에서 이들을 어떻게 존중하고 배려해야 하는지 교육이 필요하다고 생각했죠. 당시 매니저들을 다 모아서 구체적인 가이드를 만들어 교육했어요. 우선 사내 이곳저곳을 수소문해서 흩어져있는 정보들을 모았어요. 부족하다 생각되는 내용은 리서치해서 추가하고 HR 부서에 협업을 요청했죠. 구글 코리아 대표도 참석한 매니저 교육에 육아휴직을 준비 중이거나 휴직하고 있는 조직원과 함께 일하는 매니저 그리고 막 가정을 꾸려서 임신을 계획 중인 매니저 본인 등 다양한 매니저가 함께 했어요.

구체적으로 임신부터 출산, 육아휴직 그리고 복직 이후 과정별 상세한 가이드를 만들어 공유했어요. 예를 들어 '육아휴직 후 돌아온 사람에게 업무 기대를 낮춰라'라든가, '아이가 생기면 걱정보다 무조건 축하부터 해줘라' 등 구체적이고 자세한 가이드였죠. 출산, 육아휴직 기간 중 조직의 인력운영 문제, 복직 3개월 전, 2개월 전 준비해야 할 부분 그리고 가장 민감하고 중요한 성과 평가에 대한 내용까지. 출산 전후의 전체 여정을 고려해서 내용을 정리했어요.

성과에 대한 기대 수준도 불리하게 평가받으면 안 되니까 출산 전 그 사람이 일하던 속도와 업무량을 기준으로 정하면 절대 안 되고 '누글러New+Googler, 구글에 새로 조인한 임직원'에게 적용하는 것처럼 회사 복귀 직후에는 기대 수준을 낮추어야 한다고 당부했죠. 매니저 선에서 목표 설정이 애매하고 모호한 부분은 HR에서 가이드를 해주었어요. 조직원이 아닌 매니저 본인이 육아휴직을 갈 때는 어떻게 해야 하는지 추가 질문도 생겨서 조직 차원에서 고민이 더 필요한 부분도 있었죠. 이런 시도를 통해 조직 문화가 더 발전할 수 있다고 생각해요. 최근 복직을 준비하는 육아휴직 중인 후배에게서 지난 매니저 교육에 대해 문의하는 연락을 받기도 했어요.

업무 이외에 '부모를 위한 창업가 프로그램(이하 구캠맘)^{Google Campus for Moms}**' 운영에도 참여하셨다고 들었어요.**

구글에는 '20% 프로젝트'라는 제도가 있어요. 자기 업무가 아니더라도 관심 분야에 내 시간의 20%를 써서 사회적 임팩트를 만들 수 있죠. 저는 구캠맘에서 자원봉사자로 일하는 것을 '20% 잡^{job}'으로 했어요. 육아휴직자를 위한 매니저 교육을 진행한 맥락과 동일한데요. 육아휴직으로 1년 반 쉬고 복귀할 때의 두려움과 걱정이 많았던 저의 개인적 경험이 인사이트가 되었죠.

경력단절 여성을 위한 프로그램에 지원하는 이들과 진심으로 공감하며 그들이 실질적인 도움을 받고 용기 낼 수 있도록 돕는 역할에 기여할 수 있겠다고 생각했어요. 열정적으로 일하는 인재였던 옛 동료가 육아로 일을 그만두고 경력단절이 된 걸 보고 늘 안타까운 마음이 컸거든요. 구캠맘에 참여하면서 의지가 있고 능력이 충분한, 가능성 있는 여성들을 도울 수 있어

보람됐어요. 기회가 되면 이런 일을 더 하고 싶어요.

100% 아닌 60%만 해도 돼요

오히려 육아휴직에서 복귀한 후 다양한 활동을 더 활발히 하신 것 같아요. 그래도 현실적인 일 · 가정 양립에 어려움은 없었을까요?

구글은 유연한 조직문화로 재택근무가 자유로워요. 노트북만 있으면 어디서든 자유롭게 일할 수 있죠. 아이랑 시간을 많이 보내기 위해 6시까지는 퇴근했어요. 같이 저녁 먹고 아이가 잘 때까지 함께 시간을 보내고 밤에 다시 일했죠. 물론 제가 제 시간을 희생하는 거고 피곤하지만 가정을 희생하지 않고 일할 수 있다는 게 저한텐 정말 도움이 되었어요. 생활이 규칙적으로 돌아가니까 '엄마는 이 시간에 항상 나와 같이 있어주고 주말에도 함께 보내는구나'라고 아이가 안정감을 느끼더라고요. 구글은 가정이 바로 서야 최고의 성과를 낼 수 있다고 생각해요.

그리고 '가정'의 범위가 굉장히 넓어요. 애완동물이 될 수도 있고 동성 파트너이기도 해요. 해외 출장도 가족이랑 함께 가는 걸 적극적으로 권장해요.

육아휴직 후 걱정과 두려움이 오히려 혜진 님께는 의미 있는 조직 내 변화와 영향력을 만들어 낸 동력이 된 것 같네요. 일과 가정을 병행할 수 있도록 지지하고 개선해 나가려는 구글의 문화도 돋보이고요. 다양성과 포용을 추구하는 문화가 조직에서 실제로 잘 작동하고 있다고 보세요? 가령 톱 매니지먼트 레벨에서 인종이나 성별 차별 없이 평등한가요?

그렇지는 않아요. 여기도 최고 경영층은 대부분 백인 남성이에요. 물론 그런 차별적인 부분을 계속 상기시키고 조직의 리더는 인종, 성별에 따른 비율을 맞추도록 노력해요. 그런 지표가 리더의 CPI(부패지수) 평가 항목 대상이기도 하고요. 비율을 달성하지 못하면 성과가 안 좋다고 평가받는 거죠. 아직은 완벽하게 평등한 조직이라고 말할 수 없을지 모르지만 분명 노력하고 있다고 생각해요.

구글마저도 남성 리더가 주류인 점은 아쉽네요. 이런 점을 보완하기 위한 프로그램이나 활동은 없을까요?

구글에서 적극적으로 확산하려는 'I am Remarkable'
프로그램을 소개하고 싶어요. 구글이 처음 만들어졌을 때
백인 남성 엔지니어 중심의 조직이었잖아요. 문화적으로 여성
엔지니어가 대표성을 갖기 쉽지 않은 구조였죠. 그래서 여성들이
스스로 자신감을 키우고 역량을 강화할 수 있도록 각자의 성취를
발견해 이야기 나누고 서로를 고양하는 워크숍 프로그램이
개발되었죠. 저도 이 프로그램에 참여한 경험이 너무 좋아서
직접 워크숍을 진행할 수 있는 트레이너 교육도 받았어요.

여성뿐만 아니라 인종이나 자기 검열이 내재화된 다양한 그룹을
대상으로 'I am Remarkable' 프로그램이 진행됐는데요.
일반적으로 구글러라고 하면 어느 정도 성공한 스마트한 사람일
텐데 어떤 맥락에서는 내가 유색인종이기 때문에, 언어 장벽
때문에 또는 특정 국가의 산업 환경 때문에 소외감을 느끼거나
주눅 드는 경우가 생길 수 있다는 사실을 인식하게 됐어요.
많은 사람들이 다양한 이유로 스스로가 특별하지 못하다고
생각했는데, 관점을 바꿔 생각해보면 무수히 많은 장점과
가능성을 지닌 존재라는 걸 이 프로그램을 통해 깨달았죠.

**저도 자기 검열이 심한 사람으로서, 그 프로그램에 꼭 참여해보고
싶네요.**

언제 기회가 되면 함께 해봐도 좋지요. 원래 이 프로그램은 아주 솔직한 이야기를 친밀하게 나눌 수 있다는 환경 세팅이 매우 중요해서 오프라인으로 소수만 진행할 수 있다는 꽤 엄격한 기준이 있었어요. 하지만 코로나 팬데믹 장기화로 'I am Remarkable' 프로그램도 최근에 온라인으로 진행할 수 있게 되었어요. 언제 태랑님과 이 책의 저자분들과 함께 각자의 멋진 성취를 나누고 지지할 수 있는 워크숍을 해보고 싶네요.

엄마이지만 자신의 커리어도 중요한 혜진 님 같은 분과 이야기 나누다 보니 걱정이 많이 사라졌어요. 저도 완벽하지는 않더라도 잘할 수 있을 거 같다는 용기가 생기는 것 같아요. 혜진 님도 일과 가정을 병행하며 고민되는 순간에 도움받거나 영향받은 주변 분들이 있었을까요?

글쎄요. 다들 각자의 상황이 다르고 힘든 부분을 극복해 가면서 살고 있어서 특정인을 떠올리기는 어려운 거 같아요.
사회에서 롤모델로 자주 언급되는 '성공한 여성' 그런 분들은 저와 거리가 너무 먼 것 같고 고민을 같이 나누는 동료들이 제가 이 길을 갈 수 있는 힘을 준 것 같아요. 함께 고민해주는 직장맘 동료들 그리고 앞서 고민하고 먼저 개척해 나간 선배들, 문제가 생겼을 때 조언을 구하는 후배들이 커뮤니티를 이뤄서 같이 나아가는 게 중요하다고 생각해요.

혜진 님은 '일'을 어떻게 정의하세요?

저에게 '일'은 라이프 스타일에 맞는 공동체인 것 같아요. 저도
지칠 때 '진짜 아이만 키울까? 내가 뭐가 중요해?'라는 고민이
생길 때가 많았어요. 그런데 육아휴직 동안 저는 이미 직장여성
커뮤니티에 익숙해져 있어서 육아 커뮤니티에 속하기가
힘들다는 걸 깨달았어요. 저와 고민을 나눌 수 있는 공동체에
있으면서 만족감을 느끼는 게 제 '일'인 것 같아요.

이 업무가 너무 중요하고 조직에서 승진하고 싶다는 욕망보다는
나의 삶에 맞는 공동체에 속해있는 게 '일'이 아닐까 생각해요.
그 안에 나의 커리어도 있고, 나의 가정도 있고, 그걸 나누고
공감할 수 있는 사람들도 같이 있는 거죠.

**비슷한 길을 가고자 하는 20~30대 여성 후배들에게 해주고 싶은 말이
있다면 부탁드려요.**

저는 가정도 있고 일도 해서 가정과 일을 떼어놓고 생각할
수 없거든요. 근데 이걸 경험하지 않은 사람들은 이게 얼마나
귀중한 것인지 몰라요. 강요할 순 없고 개인의 선택이지만
저는 아이들의 축복을 알기 때문에 인생에서 가정과 아이들,

"

나의 삶에 맞는 공동체에 속해있는 게
'일'이 아닐까 생각해요.
그 안에 나의 커리어도 있고,
나의 가정도 있고,
그걸 나누고 공감할 수 있는
사람들도 같이 있는 거죠.

"

그 축복을 경험하지 못하는 것이 안타깝다고 생각해요. 아이와 가정이 절 성숙시키고 이해의 폭을 넓혀주었거든요. 자녀를 양육하며 성숙해지는 경험을 하고 다른 사람을 깊이 이해할 수 있는 사람이 계속 생기면 이 각박한 사회가 조금은 더 나아지지 않을까 생각해요.

비혼이 본인의 신념이라면 그대로 가면 되고요. 태랑 님처럼 사회적 상황 때문에 고민이라면 가정과 일을 양립하는 게 사회적으로 힘들 수도 있지만 두려워하지 않았으면 좋겠어요. '가정'과 '일' 두 가지 모두 100%가 아닌 각각 60%만 해도 되니까, 그리고 어려운 부분은 커뮤니티 안에서 공유하고 해결 방법을 찾아 나아가면 되는 거니까, 포기하지 말라고 얘기해주고 싶네요.

가정을 통해 다른 사람을 공감할 수 있는 이해의 폭이 넓어졌다는 혜진 님을 만날 수 있어 감사했다. 비혼을 꿈꾸는 친구들과 진취적인 커리어 논의를 할 때마다 '가정'이라는 가치가 내 삶의 우선순위에서 마지막쯤 위치해야 하는 것은 아닐까 고민한 적이 많았다.

인터뷰를 통해 확신을 얻었다. 결혼과 육아를 통해 지금 나만을 생각하는 게 아니라 다음 세대를 생각할 줄 아는 폭넓은 마음이 생길 거라고. 진정으로 누군가를 사랑하는 삶을 살기 위해 가정이 절실히 필요할 거 같다고.

이제는 가정이라는 개념을 나, 배우자, 아이로 한정 짓고 싶지는 않다. 내 옆에 있는 사람에게서 더 나아가 다양한 세대의 관점으로 나의 공감과 도움이 필요할 사람들까지 생각하고 이해하고 함께하고 싶다.

일하는 여성으로 이 길을 함께 걷고 있는 우리가 모두 위로받고 서로에게 힘이 되었으면 좋겠다. '여성'이라는 단어가 수많은 낙인과 차별을 받으며 그 의미가 차갑고 두렵게 느껴질 때, 세대를 아울러 새로운 의미를 회복하고자 노력하는 사람들이 있다. 나 혼자만의 외로운 버티기가 아니라 함께 이 길을 같이 할 동료들, 선배들, 후배들이 있다는 생각을 하니 마음이 따뜻해졌다. 두려움으로 가득했던 마음에 온기가 전해지는 듯하다.

Interview

2 위커넥트 대표
김미진

비전_메이커
건강한_방식의_욕망
다양한_경험은_다음_선택의_용기

일·가정 양립과 육아로 인한 경력단절은 단순히 미래의 고민이 아니었다. 나보다 앞서 이 문제를 고민하는 여성들의 현실을 여러 매체에서 접하면서 암담함을 느꼈다.

고민이 무르익을 즈음, 김미진 대표를 만났다. 그는 출산, 육아 혹은 가족 돌봄을 이유로 경력이 단절된 여성들을 위한 대안을 찾고자 2018년 소셜벤처 '위커넥트'를 창업했다. 위커넥트는 경력보유 여성을 위해 시간과 공간 선택이 자유로운 유연한 일터를 발굴하고 연결하는 채용 플랫폼이다. 수많은 여성이 위커넥트를 통해 다시 일을 시작할 수 있게 됐다.

결혼도 출산도 하지 않은 30대 여성인 그가 위커넥트를 창업하기까지, 어떻게 경력보유 여성의 입장에 공감하고 솔루션을 고민했을지 무척 궁금했다. 'IMF 키즈'로 본인을 정의한 김미진 대표는 세상의 기준이 아니라 '유능감'과 '긍정적 영향력'을 주는 일을 찾아 끊임없이 자신의 길을 만들어가고 있었다.

스타벅스 적선점. 이곳을 콕 집어 인터뷰 장소로 직접 정해주셨어요.
특별한 이유가 있으시다고요.

> 이곳은 제가 처음 사회생활을 시작한 현대상선 본사가 있던
> 건물이에요. 대학에 가기 전에 사회생활을 먼저 시작했어요.
> 아는 사람은 알지만 자주 얘기하진 않아요. 듣기에 따라 너무
> 구구절절해서요(웃음).

구구절절해도 미진 님 개인의 얘기를 먼저 듣고 싶어요(웃음).
여성의 경력단절이 이번 인터뷰의 주된 주제이지만 일에 대한 새로운
레퍼런스를 얻고 싶기도 하거든요. 인터뷰 준비하면서 미진 님이
대기업, 커뮤니케이션 컨설팅 회사, 교육 회사, 소셜벤처 그리고
창업으로 이어지는 커리어를 지나왔다는 걸 알게 됐어요. 다양한 조직을
경험한 미진 님의 커리어에 대한 궁금증이 커지더라고요. 어떤 삶을
살아오셨어요?

> 저는 'IMF 키즈'라고 할 수 있는데요. 초등학교 5~6학년 때

저희 집안 사정이 너무 안 좋아졌죠. 그때 많은 회사가 부도가 나고 직원들은 정리해고되었어요. 아빠 회사도 부도가 나서 하루아침에 실업자가 되셨죠. 저는 여섯 살 터울의 오빠가 있고 둘째인데 덕분에 비교적 철이 빨리 들었어요. 부모님이 사교육비를 감당하기 어려울 것으로 생각했어요.

그래서 중학교 3학년 때 상업고등학교에 진학해서 대학을 가겠다고 생각을 했죠. 반에서 5등쯤 했으니 공부를 못하지 않았거든요. 부모님과 오빠의 반대가 있었지만 울고불고 싸워 제 뜻대로 밀어붙였어요. 고3 때 다시 대학 진학과 취업 사이에서 고민했는데 취업 먼저 하고 대학은 나중에 가겠다고 결정했어요. 그때 입사한 회사가 '현대상선'이에요. 2003년 여름에 입사해서 3년 정도 다녔어요.

대학보다 취업을 먼저 선택하신 거군요. 그러면 잘 다니던 첫 회사를 왜 그만두셨나요?

제가 첫 회사에 다닐 때가 2000년대 초반이었는데 출산, 육아휴직 후 복귀하는 여성들이 거의 없었어요. 아직 어렸을 때라 뭐가 어떻게 돌아가는지는 정확히 몰랐지만 결혼한 여성은 회사, 특히 대기업에서 오래 살아남기 어렵다고 막연히 생각했죠.

저는 유능감이 굉장히 중요한 사람이에요. 대기업은 보통 직급에 따라 하는 일이 대략 정해져 있잖아요. 시간이 지나 경력이 쌓여도 주어진 일만 하겠다는 생각이 들었어요. 그래서 회사를 그만뒀어요.

그럼 퇴사 후 대학에 입학한 거네요. 사회생활 경험을 바탕으로 선택한 전공이 적성에 잘 맞았나요? 저를 포함, 주변 친구들은 보통 백지상태로 점수에 맞춰 지원하는 경우가 많아서요.

저도 지금 대학생들과 똑같이 지원한 여러 곳 중에서 저를 뽑아준 곳에 갔어요(웃음). 생각보다 경제학이 재밌더라고요. 사회생활을 미리 해봐서 그런지 기업이나 경제 구조에 대한 이해가 좀 더 잘 됐어요. 회사 내 여러 부서가 어떻게 유기적으로 돌아가는지 잘 이해할 수 있었고, 그런 회사들이 모인 사회 전체를 볼 수 있는 시각을 이른 사회생활 경험으로 터득한 것 같아요.

많은 대학생이 직업을 찾는 과정에서 막연한 두려움을 느끼는 거 같아요. '이게 나에게 잘 맞는 길인가?' 불안하죠. 사회생활을 먼저 경험한 미진 님은 졸업 후 진로 선택에 좀 더 확신이 있었을 것 같아요.

많은 학생이 대기업 취업이나 공인회계사 같은 자격증 준비를 하더라고요. 전 그런 데엔 별로 관심이 없었죠. 그렇게 준비해서 들어가는 회사에서 어떻게 일하는지 짧은 경험으로 오만하게도 다 안다고 생각했었죠. 대학을 다니면서 '나는 어떤 분야가 될지는 모르겠지만 '직장'이 아닌 '직업'을 찾아야겠다'라고 생각했어요.

명함이 있고 안정적으로 월급 받을 수 있는 삶에 안주해도 되는데 직장은 중요하지 않다고 생각하는 게 쉬운 선택은 아니었을 것 같아요.

맞아요. 대학 졸업하고 몇 번의 이직을 경험하며 명함이 없어지면 이 사회에서 자신을 소개할 때 얼마나 막막한지를 느꼈어요. 돌아보니 안정적인 대기업을 포기한 게 생각보다 큰 걸 포기한 건지도 모른다는 생각도 했고요. 그런데 나중에 좀 더 시간이 흐르니까 내가 어떤 곳에 소속되지 않은 것이 그렇게 큰 일이 아니고 아무것도 없는 나도 괜찮다는 걸 배운 것 같아요.

그럼 대학생 때 '직업'을 찾기 위해 어떤 노력을 하셨나요?

제가 뭘 해야 하고 또 잘하는지 늘 관심을 가졌어요. 대학교 3학년 때, 서울환경영화제 자원봉사를 하면서 영화제 사무국

홍보 담당자들이 일하는 모습을 우연히 보게 됐어요. 너무 멋있어 보였죠. 현장에서 기자들과 인터뷰하고 일하는 모습을 보며 '커리어 우먼'의 유능하고 전문적인 모습에 매력을 느꼈어요. 이후 막연히 홍보에 관심을 갖게 됐죠.

다만 대기업 홍보팀이 아니라 일을 제대로 많이 가르쳐주는 곳에서 내 직업을 시작하자고 생각했어요. 대학에 다니는 동안은 PR(언론홍보) 에이전시에서 아르바이트와 인턴을 했고, 졸업 후 '스트래티지샐러드StrategySalad'라는 위기관리 컨설팅 회사에서 일하기 시작했죠.

두 번째 회사에 입사한 후 직업을 찾으셨나요?

네. 직장이 아니라 직업을 찾았죠. 하지만 직업보다 더 중요한 것은 개인의 비전이라는 걸 나중에 알게 돼요(웃음). 두 번째 회사에서는 기업에 발생할 수 있는 위기 및 이슈 상황을 분석하고 시뮬레이션을 통해 대표나 임직원을 교육하는 일을 많이 했어요. 일이 너무너무 재미있었고 유능감도 많이 느꼈죠. 다만 프로젝트가 너무 많아지니까 제 능력보다 일을 더 잘하고 싶었던 마음이 커져서 독이 되었던 것 같아요. 번아웃이 왔고 두 번째 퇴사를 결심했어요. 무엇을 위해 일을 할 것인지에 대한 확신 없이 그냥 내가 잘할 수 있고, 하고 싶은 일을 정말 열심히 했는데 그 결과가 번아웃이니까 '직업'이 제 삶에 크게 와닿지 않았어요. 유능감만이 일의 속성이 아니라는 걸 이때 어렴풋이 알게 된 것 같아요.

일과 삶은 서로를 강화해요

자신의 목소리를 충실히 따라가는 삶이 인상적이네요. 주변에서 퇴사를 말리는 목소리는 없었나요? 구체적인 계획 없이 퇴사를 결정하는 건 너무 어려운 일이잖아요.

제가 중간이 없는 편이에요(웃음). 회사에서 휴직이나 업무 조정을 제안했지만 거절했어요. 퇴사 후 쉬면서 놀다 번뜩 정신을 차렸죠. 체력과 멘탈을 회복하고 이직을 준비했어요. 근데 막상 이직이 쉽지는 않더라고요. 제가 했던 일이 전통적인 PR이 아니라는 이유로 면접에서 여러 번 탈락했어요.

45

지금 이렇게 웃으면서 얘기하지만 당시에는 많이 불안하셨을 것 같아요.
유능감을 따라 스스로 커리어를 잘 만들어나가고 있다고 생각했을 때
번아웃이 온다면 내 능력과 한계를 의심하는 과정이 분명 따라왔을 것
같은데 어떠셨어요?

물론 불안했어요. '직장' 개념에서 벗어나고자 했던 저였지만
퇴사 이후 불안정한 상황에서는 빨리 다시 취직해야 한다는
생각이 강했어요. 그때 '이투스'라는 교육 회사에 합격했어요.
제가 일반적인 입시 경험이 없는데도 당시 면접을 봤던
본부장님이 제가 살아온 삶을 재미있게 봐주셨다고 하더라고요.
'얘는 깡이 있을 것 같다'라고 생각하셨대요. 사람 잘 보신
거죠(웃음).

그러면 이투스가 도피처였나요?

그렇다고 볼 수 있을 것 같아요. 불안했고 안정된 명함 있는 삶이
그리웠어요. 그런데 얼마 후 제2의 커리어 사춘기를 맞았어요.
많은 사람이 첫 회사 입사 후 3~5년 차 정도 되면 보통 이런
시기를 겪는 것 같은데 그때 제가 서른 살을 앞두고 있어 더
고민이 많았던 것 같아요.
'이 일이 정말 내 삶에 의미 있는 일일까? 내가 누군가에게 좋은

영향을 주는 일을 하고 있는 걸까?' 일은 삶의 많은 부분을 차지하기에 내 삶에도 좋은 영향을 미치는 일을 해야 한다고 생각했어요. 그때부터 어떤 일을 해야 내가 추구하는 가치를 일의 결과로 실현할 수 있을지 고민하기 시작했죠.

일로 내가 추구하는 가치를 실현한다는 말이 인상 깊어요. 저는 일을 떠올리면 삶과 구별되어야 할 것 같은 느낌을 받거든요. 그런데 일이 삶의 가치와 맞지 않는다면 무슨 의미가 있나 생각해요. 조금 늦더라도 천천히 삶의 가치에 맞는 일을 찾고 싶은데 가끔 주변을 보면 제가 너무 현실을 모르고 뜬구름 잡는 생각을 하나 싶어요.

일과 삶은 떨어질 수 없는 거예요. 일과 삶은 서로를 강화하죠. 저에게 일은 곧 삶의 비전과 일치해요. 고민이 많을 때 '자기 브랜딩$^{self-branding}$' 세미나를 들은 적 있는데 '인생 혹은 커리어 비전'이 주요 내용이었어요. 제 일상에 많은 질문이 생겼고 이후 많은 변화가 따라왔죠.

구체적인 고민 끝에 다른 사람에게 긍정적인 영향을 주고 싶다는 생각이 들었어요. 막연히 '비전 메이커$^{vision maker}$'라는 말이 제가 앞으로 살고 싶은 미래를 잘 표현한다고 생각했죠. 나만의 비전을 그렇게 정하고 누군가에게 지속해서 주려면 무엇을 어떻게 해야 하는지 생각하기 시작했어요.

그러면 '비전 메이커'로서 첫발을 디딘 회사가 '위즈돔'이었나요?

네. 위즈돔은 개개인의 지식, 노하우, 경험 등을 온라인과 오프라인에서 나눌 기회를 제공하는 플랫폼이었어요. 우리 사회는 인맥, 혈연, 지연 같은 사회적 자본도 대물림되니까, 기존 관계가 없는 사람들은 계속해서 좋은 관계를 맺을 기회가 없거든요. 이게 또 경제적 자본의 대물림으로도 이어지고요. 이런 걸 극복하기 위해 만들어진 회사가 위즈돔이었죠.

그곳에서 일하며 나의 일과 삶이 동일 선상에 있을 때 느낄 수 있는 자기 효능감이 있었어요. 이전보다 월급도 적었고 제 피와 살과 영혼을 모두 갈아 넣어야 하는 일이었지만 한 번도 후회한 적은 없어요. 돈보다 더 많은 것들을 배웠거든요. 제가 책임지는 만큼 주어지는 권한이 가장 만족스러웠어요. 또 일하면서 만나는 사람들이 곧 나의 자산이 된다는 생각도 들었고요. 제가 진행하는 프로젝트, 사업이 결국 다 제 안에서 모두 내재화되니까 돈 받고 배운다는 생각이 들었던 회사예요.

**위즈돔에서 공동대표도 맡으셨는데 '위커넥트' 창업을 결심하게 된
계기가 궁금해요.**

대학 때 철학 동아리였는데 그때 아주 잠깐 짧게 페미니즘을
공부했어요. 이전 사회생활을 하며 겪었던 뭐라 정확히 꼬집어
말할 수 없지만 불편했던 경험을 떠올리게 됐죠.
어린 여자라면 당연하게 무시하는 남성들, 함께 식당에 가면
자연스럽게 숟가락 놓는 행동이 내재화된 나의 모습, 더 중요한
일이나 더 높은 자리를 요구하지 않는 여성 선배들을 보면서
불편했던 마음이 무엇이었는지 다시 생각하게 됐어요. 화가 났죠.
내 주변에 일 잘하는 여성이 얼마나 많은데 서포트하는 역할밖에
할 수 없다는 게 너무 답답했어요.

이후 2016년 '강남역 살인 사건'이 있었고 그때 오래 잊고 지냈던
것들이 다시금 고개를 들었어요. 어차피 이렇게 영혼을 갈아
넣으며 일할 거라면 내가 직접 만들고 싶은 변화를 가속하는
데 기여하는 게 더 좋겠더라고요. 위즈돔에서의 일 경험도
너무 좋았지만 내 안에서 시작된 '내 것을 하고 싶다'는 욕망이
커졌어요.

창업을 선택한 특별한 이유가 있나요?

해결하고 싶은 문제가 있었고 적당히 무식했기 때문이라고
답하고 싶어요. 너무 많이 알면 오히려 재고 따지게 되는
것 같아요. 저는 경험을 중요하게 생각하는 사람이라 뭐든
경험해보려고 노력하거든요. 용기라는 게 대단한 게 아니라 저의
다양한 경험이 다음 선택을 할 용기를 주는 것 같아요.
위즈돔에서 공동대표로 일하며 다양한 회사의 대표들을
많이 만났고, 창업 스토리를 전달하는 연결자 역할을 하면서
내가 만들고 싶은 변화를 만드는 적절한 방법이 창업이라고
생각했어요. 창업은 수많은 일의 방법 중 가장 적극적인
형태거든요. 전 적극적인 사람이고요. 창업이 목적이 아니라
수단이었던 거예요.

"

용기라는 게 대단한 게 아니라
저의 다양한 경험이
다음 선택을 할 용기를
주는 것 같아요.

"

미진 님 이야기를 듣다 보니 제가 그동안 재고 따지느라 경험하지 못한 게 너무 많다는 생각이 들어요. 실제로 계획대로 되는 건 거의 없었고요 (웃음). 미진 님도 삶에서 추구하고자 하는 가치가 있잖아요. 그 가치관을 바탕으로 중요한 선택을 할 때 확신이 없더라도 어떻게 용기를 얻고 과감하게 행동으로 옮길 수 있었나요?

글쎄요. 가치판단 기준은 매번 상황마다 달랐던 것 같아요. 처음부터 완벽한 트랙 레코드track record를 만드는 건 어려워요. 무언가를 선택하면 잃는 것도 있지만 그 선택하는 경험을 통해 배우고 얻는 게 있는 것 같아요. 그래야 다양한 길이 열리고요.

첫 회사 퇴사 후엔 안정된 직장을 잃었지만 나의 젊음과 기회를 찾기 위한 결정이었어요. 두 번째 회사는 번아웃이 와서 퇴사했는데 멘탈을 회복하면서 건강한 방법으로 스트레스 푸는 방법을 찾았어요. 그중 하나가 감사 일기 쓰기인데 글을 쓰면서 좋은 일과 불행에 대한 관점을 바꾸는 연습을 할 수 있었어요. 그리고 이투스에서는 어쩔 수 없이 성적에 맞춰 학생들을 줄 세워야 하는 일이 제 가치와 맞지 않았어요. 돈보다 의미 있고 중요한 걸 찾고 싶었는데 그걸 위즈돔에서 찾은 거죠. 위즈돔에서는 재미와 의미 두 가지 모두에서 만족감을 얻었지만 위커넥트를 창업한 건 '영향력' 때문인 것 같아요.

제가 하는 일이 직접적으로 누군가에게 도움이 되고 영향력이
전달되어 또 다른 변화와 가능성을 만들어내는 걸 위커넥트에서
볼 수 있죠. 가장 관심 있고 해결하고 싶은 문제를 풀 수 있는
솔루션을 위해 노력하고 있는 현재 일이 제 삶의 비전과 더
밀접하게 일치해요. 그게 저한테 정말 큰 의미로 다가오고요.

그러면 긍정적인 영향력이 미진 님 삶과 일의 목적인가요?

네. 저의 비전은 긍정적인 영향을 만드는 것인데요. 이 영향력은
한순간 나타나기도 하고 서서히 물들어 갈 때도 있어요. 제가
만나는 사람에게 지나가듯 얘기한 것이 엄청난 시작의 계기가
되기도 하잖아요. 우리가 하는 모든 상호 작용이 그 사람의
다음 선택에 영향을 미치는데 그러면 되도록 좀 더 도움이
되는 방향으로 가자는 게 제 목적이에요. 영향력을 미친다는 게
오지랖일 수도 있는데, 이게 사실 누군가를 위해서라기보다는
저의 욕망이에요. 그래서 저는 욕망과 일이 일치될 때 나오는 그
시너지를 좋아해요. 건강한 욕망은 아주 중요하다고 생각해요.

**그럼 현재 미진 님 욕망의 결정체인 위커넥트 얘기를 좀 더 해보고
싶어요. 저는 미래에 대한 두려움이 있어요. 가정을 갖게 되면
경력단절을 겪지 않을까 고민하죠. 비슷한 고민을 하는 여성들이 어떤**

커리어 여정을 밟는 게 좋을지 조언을 구할 수 있을까요?

대학생이 커리어를 시작할 때 전략적으로 두 가지를 선택하라고 말해주고 싶어요. 업무 강도가 높은 프로페셔널 회사 혹은 A부터 Z까지 모두 다 해내야 하는 스타트업을 추천해요. 최소 1~3년 버티라고 하고 싶고요. 처음 일 경험이 굉장히 중요해요. 훈련을 통해 완전무장해야 다시 사회에 나올 수 있어요.

대기업에서 일하게 된다면 그 비즈니스의 가장 핵심 부서로 들어가야 해요. 홍보나 마케팅이 아니라, 영업이나 사업 개발 등 그 비즈니스의 핵심 업무를 이해하는 것이 중요해요. 많은 여학생이 마케팅, PR, 경영관리 분야 등이 계속 일을 이어가는 데 좋을 거라고 선택을 하는데요, '어디서나 할 수 있는 일'이라는 게 나중에 자신에게 경력단절이라는 화살로 돌아올 수 있어요.

정말 실질적으로 도움이 되는 조언이네요. 요즘 캠퍼스에도 창업 붐이 일고 있어요. 대학생 창업은 어떻게 생각하세요?

저는 대학생에게 창업을 추천하지는 않아요. 시행착오가 너무 많을 것 같아서요. 정말 소수를 제외하고는 경험이 많은 창업자를 빠르게 쫓아가기 어려울 거예요. 능력의 문제라기보다

센스의 문제인데 센스는 경험한 것과 안 한 것의 차이가
크거든요.

비혼 여성도 경력단절 문제로 고민하는 경우가 많은가요?

본인이 아파서 일을 쉬다가 다시 돌아가려고 해도 온갖 이유로
안 받아주는 경우가 많아요. 사람 일이라는 건 아무도 모르는데
절대 안 쉬고 일할 수는 없잖아요. 그리고 100세 시대에
부모님을 돌봐야 하는 경우도 생기게 되는데 이때 경력단절이
되기도 하죠. 미혼, 비혼도 '여성'이라는 이유로 경력단절을
경험하는 경우가 많아요.

'돌봄'이라는 단어를 제가 얼마나 편협하게 생각했는지 알겠네요.
육아로만 한정 지어 생각했는데 자기 자신뿐만 아니라 부모님 등 주변의

다른 이를 케어하는 것도 포함된다는 걸 깨달았어요. 누구에게나 돌봄을
위한 유연한 일자리가 필요하다는 생각이 절실히 드네요. 사회에 유연한
일자리가 많아지려면 무엇이 더 필요할까요?

결국은 시스템 체인지system change가 필요하다고 생각해요.
개인만 변화를 위해 노력하는게 아니라, 회사가 필요로 하는
솔루션을 만들어야죠. 경직된 조직 관리, 채용 문화를 바꾸지
않으면 경력단절이 계속해서 생길 거예요. 유연성을 제공하면
성과를 잘 낼 수 있는 다양한 후보자들을 만날 수 있다는 걸
회사에 보여줘야죠. 위커넥트의 궁극적인 목표이기도 해요.
채용 시장에서 상대적으로 불리한 여성을 대상으로 한 특정한
제도 보완이 단기적으로는 효과가 있을 수 있지요. 하지만
회사가 어떻게 사람을 채용하고 관리하는지 메커니즘을
변화시키지 않으면 궁극적인 시스템은 잘 바뀌지 않아요.

여성의 일과 삶이 양립할 수 있도록 앞장서서 변화를 만들어나가는
모습이 위로가 돼요. 어떤 변화를 만들어나갈지 기대가 되고요.
위커넥트 앞으로의 계획이 궁금해요.

3년 차가 되는 2020년은 좀 더 회사 규모를 키울 예정이에요.
관련 파트너사와 채용 대상도 확장하고 싶고요. 채용 형태도

일반 채용과 프로젝트 그리고 자원봉사자volunteer로 다양하게
구분이 돼요. 여성의 커리어는 단순하지 않기 때문에 각자의
상황에 따라 선택할 수 있도록 커리어의 조건과 방식을
확대할 예정이에요. 풀타임인데 프로젝트일 수도 있고,
파트타임 정규직일 수도 있죠. 여러 가지 방식을 만들려고
해요. 회사에서도 자원봉사자로 채용해서 훌륭한 경력 보유
여성과 일하는 경험을 할 수 있도록 기회를 만들어 보는 거죠.
경력을 다시 이어가려는 사람들 또는 확장하거나 전환하려는
이들에게도 선택의 폭을 넓혀줄 수 있고요.

미진 님 개인 계획도 궁금해요.

제가 좋아하는 TED강연 중 스테판 사그마이스터Stefan Sagmeister의
'타임오프의 힘The Power of Time-off'이라는 강연이 있어요. 커리어를
잠시 멈추고 휴식을 하는 안식년에 관한 이야기에요. 안식년을
보내고 나면 좋은 창의적인 영감을 얻을 수 있거든요. 위커넥트
창업 전 대학원 다닐 때 1년 안식을 가졌는데 그 시기에 얻었던
생각과 관계가 위커넥트 창업 후 2년을 가능하게 했다는 걸
일하면서 깨달았어요. 요즘 인풋이 없고 아웃풋만 만드니까
소진되는 기분이 들고 갈증을 느껴요. 중간의 타임오프time-off가
그래서 필요하다는 생각이 들어요.

그리고 제가 2025년에 마흔인데 그전까지 이 사업이 안정적으로 운영될 기반을 만들어 놓고 누군가에게 물려주려고 해요. 저는 꿈이 많아요. 40대에는 일하는 여성 또는 여자아이들을 위한 재단 이사장이 되는 게 꿈이고요. 50대에는 유럽으로 유학 가서 문화사 공부를 하고 도서 산간지역 아이들에게 훌륭한 여성 작가, 화가, 음악가들에 대해 많은 걸 알려주고 싶어요.

잘 쉬면서 일할 힘을 충전하는 것도 정말 중요한 거 같아요. 바쁘게 일만 하는 게 아니라 나와 내 주변을 돌보면서 일도 함께 이어가는 사람이 되고 싶네요. 인풋을 만들 타임오프를 제공하는 사회를 꿈꾸게 돼요. 정말 많은 인사이트를 얻고 배울 수 있었던 인터뷰였어요. 미진 님은 어떠셨나요?

너무 재미있었고 어떤 이야기가 나올지 궁금하네요. 지나고 보면 내가 어떻게 시간을 보냈는지 기억이 잘 안 날 때도 있는데 뒤돌아보니까 다 연결되어 오고 있어요. 우리의 목표는 보통 그냥 목적지에 가는 거예요. 비행기를 탈 수도 버스를 탈 수도 있고 걸어갈 수도 있죠. 그런데 도착이 중요한 게 아니라 거기까지 가는 그 과정을 잘 보내고 즐기는 것도 중요한 거 같아요.

❝

우리의 목표는 보통 그냥 목적지에 가는 거예요.
비행기를 탈 수도 버스를 탈 수도 있고
걸어갈 수도 있죠.
그런데 도착이 중요한 게 아니라
거기까지 가는 그 과정을 잘 보내고
즐기는 것도 중요한 거 같아요.

❞

저는 결과 중심주의자인데 맹목적인 목적과 결과에만 집착하면
지금 내가 하는 이 일이 대수롭지 않게 여겨지거나 있는 그대로
받아들이지 못하고 결과에 매몰되어 빨리 지칠 수 있어요.
그래서 지금 하는 이 일과 오늘 나의 하루를 잘 보내자고
생각하죠. 돌아보니까 거쳐온 회사들이 결국 저에게 필요한
쓰임을 다 하고 있고 도움이 됐어요. 이 책을 읽는 분들도 이미
선택한 것들은 잘 받아들이고 그 경험을 잘 활용할 수 있는
방법을 찾아가면 좋겠어요.

어떤 비전을 가지고 살아가야 할까? 최근까지 나는 고민의 시간을 보내고 있다. 삶이 막막하게 느껴지고 불안할 때면 'YOLO^{You Only Live} ^{Once}'라는 말이 매력적으로 다가온다. 뒤처진다는 불안감에 스스로에 대한 진지한 고민 없이 스펙 쌓기와 대외활동 찾기에 밤을 지새우거나 모든 것을 제쳐 놓고 아무 생각 없이 지내기도 했다.

미진 님은 자신을 'IMF 키즈'라 소개했지만 사실 그 세대와 지금의 90년생 우리가 크게 다를 게 없다는 생각이 들었다. 대기업을 가지 않으면 불안하고 안정적인 직장을 찾는 모습이 지금 우리 세대에도 똑같이 나타나는 모습이지 않나?

미진 님은 이런 시대 흐름과 사회 기준을 따르지 않고 자자신만의 길을 당당히 만들어 간 사람이었다. 일은 유능감 또는 안정감, 단순히 하나의 단어로 정의될 수 있는 것이 아니었다. 저마다 각자의 복잡미묘한 삶의 모습처럼 계속 바뀔 수 있지만 결국 하나의 방향과 비전으로 굳게 나아가는 것이 바로 '일'이었다.

미진 님과 대화를 하면서 내게도 '일'이 새롭게 다가왔다. 일과 삶이 동일선상에 있다는 관점은 일을 새롭게 바라보고 싶었던 나에게 힌트가 되었다. 일과 삶, 둘 중 반드시 한 가지를 선택해야 한다는 사회적 강박에서 한결 자유로워진 기분이 들었다.

미진 님을 만나고 건강한 삶이 어떤 것인지, 내 삶과 커리어에서 추구해야 할 가치가 무엇일지 더욱 분명히 그려졌다. 무엇을 하고 있는지가 아니라 무엇을 향하는지가 중요했다. 지속가능한 삶. 그건 과거-현재-미래의 나를 연결하는 삶이다.

현재의 선택과 일이 미래에 어떤 영향을 끼칠지 생각하고, 삶의 비전이라는 인생의 큰 틀에서 과거-현재-미래의 커리어를 연결할 수 있는 사람. 오늘의 결과에 매몰되지 않고 가치를 이뤄가는 과정을 여유롭게 즐길 수 있는 사람이 되겠다고 다짐했다. 구글러 홍혜진 님과의 대화 속 '퍼즐 조각'이 떠오른다. 두 번의 인터뷰를 통해 삶의 퍼즐 조각들을 발견한 것 같다. 가장 불안하고 위태로운 때에 이런 귀한 선배 여성들을 만날 수 있어서 감사하다.

포용적인 가치 실현을 위한
사업가를 꿈꾸는
박예지가 만나다

06

'함께 가야 멀리 갈 수 있다'

누구나 한 번쯤 들어봤을 이 문장이 내게는 절박했다. 청각장애인의
삶은 홀로 살아남을 수 없으니까. 끊임없이 관계를 맺고 소통해야만
했다. 조금이라도 주변과 단절되는 순간, 문자 그대로 고립됐다.
이런 경험으로 성장한 나는 '내가 정말 평범하게 돈을 벌며 일할 수
있을까?'라는 질문에 쉽게 답할 수 없었다. '여성이고, 장애인인 내가
일할 수 있는 조직이 정말 있을까? 선배들 말마따나 장애인이어도
잘리지 않는 공무원이 되어야 할까?'라는 질문을 할 수밖에 없었다.
소통이 곧 생존인 내게 사회는 그리 안전하다는 믿음을 주지 못했다.

개개인이 영향력을 가지고 존중받을 수 있는 안전하고 건강한
조직은 내게 유일한 선택지였던 까닭일까. 건강한 조직이 개인을

성장시킬 수 있을 거라는 기대가 생겼다. 이제는 그런 조직을 내가 스스로 만들어가고 싶은 욕심이 있다. 좋은 조직의 다양성에 대해 깊게 고민하는 요즘이다.

비건 쇼핑몰 '엔포레en:Foret' 창업팀을 이끌고 있는 나는 늘 고민이 된다. '왜 사람들은 비거니즘을 중요하게 생각하지 않지? 이 일은 정말 할 수 없는 걸까?' '대학생, 젊은 여성, 그리고 장애인으로 이루어진 우리 팀이 잘하려면 어떻게 해야 할까?' 기존 사회구조에서 보기에 보편적이지 않은 우리 조직의 구성은 내 고민을 한층 깊게 만들었다.

가치를 비즈니스로 실현하고 있는 이들은 어떤 마음으로 일하고 있을까? 함께 멀리 그리고 같이 갈 수 있는 가치는 일터에서 어떻게 이루어지고 있는지 보여주는 낫아워스와 진저티프로젝트에 묻고 싶었다. 내가 살고 싶은 아니 살기 위한 세상을 만들어가는 여정에 질문을 던져 함께 답을 구해보고 싶었다.

1 낫아워스 공동대표
박진영 · 신하나

\# 누가_봐도_사고_싶은_비건_패션브랜드

\# 존재_자체가_의미인_치열한_삶

\# 지속가능한_세상을_만들어가는_이들의
지속가능한_삶을_위해

낫아워스NOT OURS는 동물의 가죽이나 털, 뿔과 같은 동물성 소재를 사용하지 않는 비건 패션 브랜드다. 동물의 가죽도 동물의 털도 '우리의 것이 아니다'라는 뜻이 있다.

낫아워스는 단순히 동물성 소재를 사용하지 않는 데서 그치지 않고 제품이 세상에 나오기까지 모든 과정을 고려한다. 애니멀 & PVC 프리animal & PVC(폴리염화비닐) free 원칙과 함께 노동, 환경 등 윤리 문제로 고민을 확장한다. 비동물성 소재로 튼튼하고 오래 쓸 수 있는 퀄리티 높은 제품을 만들고, 불필요한 재고는 최소화하는 지속가능한 패션을 지향한다.

박진영과 신하나, 두 대표는 하이엔드 패션 브랜드 회사에서 디자이너와 커뮤니케이션 담당자로 만났ㅁ다. 2017년 12월, '비건의 완벽한 겨울 아우터, 페이크 퍼 하프 코트' 텀블벅 펀딩 프로젝트를 시작으로 낫아워스가 세상에 나오게 되었다. 이후 프로젝트를 이어가며 후드티, 가방, 지갑, 장갑 등 다양한 패션 아이템을 선보이고 있다.

내가 추구하는 가치와 일을 일치시키는 비즈니스는 어떻게 가능할까. 비건을 위한 쇼핑몰을 만들고 있는 예비 창업자로서 묻고 싶은 게 많았다.

사무실 건물이 새하얗고 예쁘네요. 이곳을 쇼룸으로도 운영하고
계시더라고요. 옷을 입어보러 오는 고객들의 다양한 체형의 착용 샷을
찍어 SNS에 공유해주시는 게 인상 깊었어요.

> 보통 보여주는 피팅 사이즈가 한정되어 있잖아요. 기존의
> 주류 모델들처럼 정형적인 사이즈를 가진 분들만 존재하는 건
> 아니니까요. 최대한 다양하게 보여드리고자 하는 거죠.

기존 사이즈 이외에 다른 사이즈가 필요하신 분이 있다면 단 한
장이라도 제작해 주겠다는 제품설명서 글이 인상적이었어요.

> 아무래도 기존 한국 의류 시장의 사이즈 베리에이션 variation이
> 너무 한정되어 있기도 하고요. 낫아워스의 아이템을 최대한 많은
> 분들이 즐길 수 있었으면 하는 바람이 있어요. 혹시라도 사이즈
> 문제로 구매를 못 하는 분이 있다면 연락을 달라고 적어둬요.
> 딱 한 분이어도 그분을 위해 다시 패턴을 뜨고 재단해서
> 보내드리고 있어요.

바쁘실 텐데 무척 흔쾌히 인터뷰에 응해주셔서 놀랐어요. 계속
새로운 제품으로 프로젝트를 준비하다 보니 어려울 수도 있을 거라고
생각했거든요.

> 저희가 원래 학생 인터뷰를 많이 받는 편이거든요. 과제 등
> 인터뷰 요청이 많이 들어와요. 학생들 만나는 걸 중요하게
> 생각해서 웬만하면 응하고 있어요. 학생들이 관심을 두고 있다는
> 자체가 큰 힘이 되고 나중에 세상을 바꾸어나갈 사람은 저희가
> 아니라 더 어린 분들이잖아요. 그래서 학생 인터뷰가 중요하고
> 소중해요.

연락드릴 때 고민했는데 답장 받고 안도감도 들고 매우 감사했어요.
우리나라가 대기업 중심 문화가 있는 것 같아요. 저도 매출액이 계속
늘고 규모가 커져야만 좋은 것이라 생각했어요. 낫아워스를 보면서
이렇게 선주문 제작으로 이루어지는 사업 방식이 사회의 변화에 빠르게
반응할 수 있겠다 싶어요.

> 그때그때 필요하다고 생각되는 제품을 제작해요. 저희 생산
> 방식이 기존의 패션의 흐름과는 완전히 다른 흐름이기도
> 하잖아요. 패션 업계에서는 섬머^{summer}, 윈터^{winter} 이런 식으로
> 엄청나게 쪼개서 끊임없이 생산하거든요. 계속해서 제품들이

많이 나오고 있어요. 그런데 낫아워스는 보통 주문받은
만큼만 알맞은 양을 생산하는 방식이어서 재고가 거의 없어요.
구매하려고 해도 놓치면 못 사요. 어떻게 보면 더 가치 있게
느껴지는 방법일 수도 있다고 생각해요.

한정판 같은 느낌이네요. 왠지 지금 꼭 사야 할 것만 같아요(웃음).

처음에 그런 의미로 시작한 건 아닌데 패션 업계의 문제 중
하나가 재고예요. 태워서 없애버리기도 하죠. '싸게 파느니
없애는 게 낫다. 우리 밸류value에 맞지 않으면 그게 낫다'고
물건을 파기시켜요. 이게 엄청나게 큰 문제라고 생각했어요.
그래서 '그걸 하지 말자. 그걸 안 하려면 어떻게 해야 하지?'
고민했죠. 주문받은 만큼만 팔면 재고에 대한 부담이 적고
환경적으로도 조금 더 낫지 않을까 생각했어요. 오히려 장점이
많은 거 같아요.

그러나 상시로 구매할 수 없는 건 단점이죠. 당시에 돈이 없어서
못 살 수도 있는데 그때 아니면 못 산다는 게 어떻게 보면
불합리할 수도 있잖아요. 아직은 규모가 작아서 다 해결하지
못했지만 어떻게 개선할 수 있을지 계속 고민 중이에요.

단순히 '재고를 남기지 않겠다'에 그치는 것이 아니라 누군가에게
기회가 돌아가지 못할 수도 있다는 부분까지 고민하고 계시네요.
프로젝트로 제품을 개발하고 만드는 데 있어서 어떤 장단점이
있을까요?

사실 프로젝트 방식으로 제작하게 된 건 처음에 돈이 없어서
이기도 하고요(웃음). 그리고 너무 소모적이잖아요. 굳이
불필요하게 여러 룩look을 보여줄 필요는 없다고 생각했어요.
그때그때 필요한 아이템을 고민해요. 낫아워스는 한 번에
하나의 제품만 내놓는데 '사람들이 대중적으로 좋아할
아이템이 뭘까. 아니면 이번에 팔릴지는 모르겠지만 우리만의
색깔을 보여줘야 되나' 이런 식으로 방향을 고민해서 다음
프로젝트를 결정해요. '잘 팔리는 아이템인가? 팔아봤더니 이건
잘 안 되네' 수익을 통해 배우죠.

물론 어느 정도의 흐름은 있어요. 그래도 계절이라는 게
있으니까. 이때쯤에는 뭐가 나와야겠다는 건 그때그때
정해놔요. 안 할 때도 있죠. 연간계획은 있는데 막상 샘플을
만들어보면 비용이 안 맞아서 출시할 수 없는 경우도 있어요.
그러면 저희는 빨리 수정할 수 있으니까 '작년 아이템이 잘
되었으니까 한 번 더 해볼까' 그렇게 바꾸기도 해요.

다양한 아이템을 넘나드는 것도 낫아워스의 도전이자 실험인데 어떤 상품군이 가장 수익성이 좋고 인기 있었나요?

제일 잘 팔렸던 건 지갑이에요. 가방도 인기였어요. 요즘에는 간편하게 입을 수 있는 거. 그런 게 트렌드이기도 하죠. 저희가 또 중요하게 여기는 게, '자주 사용할 수 있을까, 자주 입을 수 있을까?'를 고민해요. 어떤 것들이 필요한지 고민을 많이 하는데요. 지갑도 전에는 나일론으로 된 작은 지갑을 사용했어요. 그런데 저도 예쁜 것 쓰고 싶고 차려입었을 때 나일론이나 천 지갑 들고 싶지 않을 때도 있잖아요.

비건들의 선택 폭이 너무 좁은 것은 사실이죠.

이런 이유로 지갑이 좋지 않을까 생각했는데 많은 비건들이 같은 생각을 하고 있었던 듯해요. 저희는 디자인과 퀄리티를 무척 중요시해요. 비건이 아닌 사람도 이렇게 좋은 대안이 있으면 굳이 가죽 지갑을 쓸 필요가 없으니까. 그렇게 다가가려고 노력 중이에요. 비건들은 선택의 폭이 좁잖아요. 살 수 있는 게 너무 없으니 그 안에서 선택권을 주는 게 중요하다고 생각하거든요. 또 하나. '누가 봐도 이건 예쁘다'라고 생각할 수 있어야 해요. 그게 진짜 중요해요. 언제까지 무작정 '우리가 비건 제품인데, 이거 사주세요' 할 수는 없잖아요. 저희 스스로 그렇게 생각하지도 않고요. 예쁘지도 않고 퀄리티도 낮은데 굳이 물건을 그렇게 살 바에 차라리 그 돈을 기부하죠.

단순히 가치로만 구매를 이끌 수 없다는 것을 보여주시는군요.

누가 봐도 사고 싶고, 갖고 싶게 만드는 게 중요하다고 생각해요. 그 부분에 중점을 두고 얼마나 오래 쓸 수 있는가. 즉 제품의 퀄리티를 항상 생각하고 제품을 만들고 있습니다.

제가 청각장애인이잖아요. 보청기는 선택의 폭이 좁아요. 비용이 워낙 비싸고 제품 특성상 제가 다양하게 시도해볼 수 없거든요. 뭐가 좋은지도 모르고 좋다면 그냥 쓰죠. 맞춤 제작이다 보니까 거의 천만 원 가까이 값이 나가기도 해요. 이렇게 선택의 폭이 좁다는 것은 참 많은 문제가 있더라고요. 비슷한 양상이 있어서 공감이 많이 돼요. 다른 인터뷰에서 '마음에 보답할 수 있는 제품을 만들어야 된다'고 하셨잖아요. 무척 와닿아서 비건을 위한 쇼핑몰을 함께 준비하고 있는 제 팀원들과도 이야기했어요. 우리가 제공하는 서비스와 제품이 부족한 옵션에서 선택할 수밖에 없는 차선책이 되도록 하지는 말자고 다짐해요. 저뿐만 아니라 앞으로 비건들을 위한 사업에 관심을 두고 있는 사람들이 많을 텐데 전해주고 싶은 말이 궁금해요.

저희는 이렇게 생각해요. 제품이 비건 소재이지 낫아워스가 비거니즘만을 추구하는 건 아니거든요. 나라는 사람이 비거니즘을 실천하는 사람이고 그래서 그런 제품을 만드는 것뿐인 거예요. 스텔라 매카트니Stella McCartney는 2001년 패션 사업을 시작할 때부터 가죽도 안 쓰고 퍼fur도 안 썼어요. 그런데 광활한 럭셔리 시장에서 브랜드가 지금까지 살아남았잖아요. 사람들은 예쁘고 좋으면 사니까요. 그런 것처럼 자신의 브랜드를 가꾸어 나가야지 비건만을 내세워서 하는 건 잘 모르겠어요.

낫아워스가 비건 브랜드라는 점에만 집중하는 것이 아니었네요.

비건 브랜드가 너무 없으니까 비건이라는 단어를 쓰지 않으면 인지하는 데 시간이 오래 걸리잖아요. 슬로건은 비건 소재를 사용한 비건 패션 브랜드라고 하지만 저희가 지향하는 방향은 비건 브랜드가 아니에요. 어떤 분위기의 쇼핑몰인지 그런 게 훨씬 더 중요한 거 같아요. 사실 메시지를 확성기에 대고 말하지 않아도 그냥 다 싸움이잖아요. 존재하는 것 자체가 힘들기 때문에 존재가 메시지가 될 수 있다고 생각해요. 가장 최우선은 내 일을 잘하면 되지 않나 생각하죠.

무언가를 더 해내려고 애쓰지 않아도 그 자리를 지켜가고 있다는 사실만으로 의미가 있다는 거네요. 패션 분야에서 실력 있는 브랜드가 되는 것이 중요한 거군요. 혹시 낫아워스가 벤치마킹하고 있는 브랜드가 있을까요?

여러 곳에서 보고 배우는 게 중요하다고 생각해요. 파타고니아, 스텔라 매카트니 같은 브랜드 진짜 멋지죠. 베자VEJA라는 프랑스 신발 브랜드는 가죽을 쓰기는 하지만 신발 원료를 브라질에서 조달하고 아마존에 영향을 거의 안 끼치도록 에콜로지(생태학) 적으로 접근해서 제품을 만들어요. 신발 스타일이 예쁘고 지금 엄청나게 핫한 브랜드 중 하나예요. 해외에서는 베자 신발 안 신는 사람이 거의 없을 정도로요.

꼭 비건 브랜드만 벤치마킹하는 것은 아니네요.

예를 들면 패딩을 만들 때 비건 패딩만 보면 배울 게 없어요. 저렴하고 낮은 퀄리티의 패딩이 널렸는데 논비건non-vegan 패딩도

"

존재하는 것 자체가 힘들기 때문에
존재가 메시지가 될 수 있다고 생각해요.
가장 최우선은
내 일을 잘하면 되지 않나 생각하죠.

"

연구하고 배워야 하는 거 같아요. 닫혀 있지 않다는 말이 그런 말이지 않을까요? 나 스스로가 비건 안에 갇혀 있으면 시선이 거기 머물러 있잖아요. 상대해야 하는 사람은 대중인데 대중의 시선으로 보는 게 중요하더라고요.

저도 2017년에 처음 비거니즘에 빠져서 그 충격이 너무 컸을 때 막 파이팅 넘쳤었거든요. 그런데 갇혀있으면 안 된다는 걸 스스로 깨닫고 거기서 벗어나야겠다고 생각하고 있어요. 그렇게 넓혀가는 것 같아요. 비건이 아닌 브랜드도 보고 배울 것이 많아요. 저희는 그걸 닫아놓고 배제하지는 않아요.

이 세상을 살아가기 위해 필요한 스킬인 것 같아요. 나의 가치가 전부가 아니라 내가 필요한 부분에서 유연하게 배워갈 수 있어야 하겠군요.

그 사람들도 나름의 가치를 가지고 운영하는 거잖아요. '가죽 쓰는 사람 나쁜 사람이야'라고 무작정 배제할 수는 없잖아요. 가죽 쓰는 것이 안 좋은 건 맞아요(웃음). 맞는데 그 안에 있는 메시지를 저희는 찾아보려고 해요. 쌓아온 기술들도 있겠고 그건 하루아침에 만들어진 게 아니라 그들도 계속 수정해 가면서 퀄리티를 높여 가치를 만드는 거잖아요.

일하다 보면 나의 방식을 이해하지 못하는 사람들도 많이 만날 것 같아요. 예를 들어 제조 공장 분들이 '왜 이렇게 굳이 힘들고 까다롭게 일하냐'고 반응할 수 있을 것 같은데 그럴 때 어떻게 대응하는지 궁금해요.

이전엔 하이엔드 패션 회사에서 일했어요. 좋은 가죽 중에서도 제일 비싼 가죽, 이런 걸 찾아다니면서 일을 했죠. 그게 좋은 일이 아니라는 걸 알고는 있었지만 혼란을 느끼지는 않았어요. 내가 지금 이 상황 안에서 할 수 있는 걸 하자고, 일의 한계가 있다고 생각했죠. 나의 식사로 비건식을 실천하든가 그렇게요. 그걸 뛰어넘어야 한다는 생각보다는 어느 정도 타협하면서 살아가고 있던 편이었죠.

비건 제품을 만드는 지금도 예전의 저처럼 기존 업계에서 하던 방식을 기준으로 가치 판단하는 분들을 많이 만나요. 그런데 나와 다른 가치를 가진 사람을 다 배제하면서 살아갈 수는 없잖아요. 그냥 우리 생각을 전달드리고 이해시키려는 노력을 그때그때 하는 거죠. 혹 상대방이 이해하지 못한다고 하더라도 '그냥 그렇구나' 하고 나의 일을 잘하는 게 제일 중요하다고 생각해요. 결국에는 내 일을 잘해야지 세상이 바뀌는 거잖아요. 나를 이해하지 못하는 사람을 만나는 거에 스트레스받고 있지는 않아요.

우선 내 일을 잘하는 것이 제일 중요한 거군요. 처음에 낫아워스를 시작하게 된 계기도 생각지도 못했던 부분에서 진영님이 변화의 포인트를 발견하신 것으로 알고 있어요.

맞아요. 제(박진영) 경우 그렇게 어느 정도 타협하면서 살아가고 있을 때였어요. 저희가 사실은 다른 패션 브랜드에서 만났어요. 그때 저는 비건이었고 이 친구(신하나)는 아니었어요. 저는 이미 비건이 된 지 꽤 오래돼서 그냥 그렇게 사는 것에 익숙해져 있었어요. 그러다 이 친구가 오히려 채식을 시작하게 되면서 저를 바꿨죠. 새롭게 받아들이는 사람한테는 더 강하게 다가오잖아요. 육식 산업의 폭력을 더 크게 느낀 거예요.

저는 오히려 가죽 신발도 신고 '어떻게 사람이 벨트 같은 것까지 천 벨트만 차고 살아' 이렇게 생각하고 있었어요. 그냥 제가 할 수 있는 만큼만 하면서 살고 있었는데 이 친구가 오히려 '나는

"

결국에는 내 일을 잘해야지
세상이 바뀌는 거잖아요.
나를 이해하지 못하는 사람을 만나는 거에
스트레스받고 있지는 않아요.

"

먹는 건 갑자기 육식을 못 끊어도 입는 거는 안 할 수 있을 거 같아. 그건 가끔 사는 거잖아'라고 하는 거예요.

할 수 있는 부분에 대한 생각이 서로 달랐네요. 그게 시발점이었나요?

네. 맞아요. 그리고 이 친구가 '지금 당장 겨울이 다가오는데 내가 입을 게 없다'고 말했어요. 그래서 '우리 같이 한번 만들어볼래?' 그렇게 시작된 거죠. 저는 되게 신선했어요. 반성이 되기도 했고요. 그래서 지금은 그때랑 조금 많이 다르죠. 예전에는 타협하고 살았다면 지금은 나라는 사람이 바뀌어서 우리 제품 만드는 데 동물성 소재를 사용한다고 하면 용납이 안 되죠.

그렇다고 해서 예전의 제가 꼭 나쁘다기보다는 그 당시에는 그 그릇밖에 안 되는 사람이었다고 생각해요. 그때그때 변하는 나에 맞춰서 살아가기도 하고, 거기에서 멈추는 게 아니라 생각도 발전 시켜 나가는 거죠. 밖에서 만나는 사람들이 다 우리 가치관과 맞지 않을 수도 있지만 우리가 이런 이야기를 한 번 했을 때 그 사람은 몰랐던 사실을 새로 알게 되는 거잖아요. 그렇게 바뀌고 있다고 말할 수 있을 것 같아요.

특정 분야 산업이 성장하고 있으니 뭔가 가능성이 보여서 시작하는 경우도 아주 많잖아요. 그런데 두 분은 그런 시각과는 거리가 조금 멀다는 느낌이 들어요.

'어떤 게 전망이 좋고 사회에도 좋은 영향을 주는 일일 것이다'라고 생각해서 시작하는 일은 한계가 있는 것 같아요. 각자 전문 분야가 있잖아요. 우선 저희는 패션 전공이고 패션 회사에서 만났고 일을 잘 아는 사람이었어요. '요즘에 비건이 입을 옷이 없으니까 우리가 비건 옷을 만들어볼까' 이런 식으로 가볍게 시도하는 브랜드들도 있거든요. 혹여나 얕은 생각으로 시작하는 걸 주의해야 할 것 같아요. 예를 들면 비건 가방 브랜드를 선보이는 쇼룸을 열었는데 아이스크림을 준비한다든가, 기존 방식으로 제작된 티셔츠에 비건 슬로건만 찍어낸다든가 그런 경우가 매우 많더라고요.

자기 분야가 아니고 깊게 고민하지 않으면 미흡한 점이 생기는군요.

네. 우선 자신이 잘 아는 분야에서 바꿔나가는 게 중요하다고 생각해요. 주변에 그렇게 실천하는 친구들도 사실 많아요. 학교 선생님인 친구는 지금 대학원에서 공부하고 있는데 아이들한테 채식 교육을 할 수 있는 커리큘럼을 만들고 있어요. 자기가 할 수 있는 범위 안에서 최선을 다하고 있는 것 같아요. 크게 자기 사업을 펼친다거나 교육 과정 자체를 바꾸는 거창한 일은 어려울 수 있지만, 학교에 다니는 학생이라면 급식 메뉴에 이런 걸 준비해 줄 수 있는지 학교에 물어볼 수는 있잖아요. 그런 게 다 의미 있고 각자의 자리에서 할 일이라고 생각해요.

들려주신 이야기가 와닿네요. 각자의 위치에서 할 수 있는 일이 생각보다 다양하게 있을 수 있네요.

또 다른 친구는 화학과 학생인데 동물 실험이 많으니 이를 반대하는 친구들이 모여서 교수님께 이메일을 써요. 그런 식으로 자기가 속한 어떤 단체나 조직에서 개인이 할 수 있는 일들을 해나가는 거 같아요. 비즈니스 관점에서 보면 '베지노믹스vegenomics, 채식경제'라는 단어가 생길 만큼 비건 시장이 커졌고 독일이나 유럽, 미국을 중심으로 계속 성장하고 있죠. 시장을 보고 시작한 건 아니지만 이런 상황과 맞물려 시기도 좋았던 것 같아요. 당위성으로 자연스럽게 시작한 일인데 운이 좋았죠. 다행이에요. 그리고 이렇게 대학생과 20대분들의 좋은 관심이 있다는 게 큰 힘이에요.

기업의 이윤 추구 목적뿐만 아니라 사회적 가치라는 또 다른 축을 위해
비즈니스를 하고 계시잖아요. 이 사업을 계속할 수 있는 원동력이나
확신을 어디서 어떻게 얻고 계시는지 궁금해요.

> 인터뷰 질문이 되게 어렵다고 생각했는데(웃음). 사실 저희는 별
> 생각이 없어요. 그냥 이렇게 생각해요. 내가 비거니즘을 실천하는
> 사람이잖아요. 그게 원동력인 것 같아요. 무언가를 꼭 해야 해서
> 한다기보다, 못 하니까 안 하는 것 아닐까요?

어쨌든 그래도 수월하지만은 않은 길을 계속 가고 계신 거잖아요.

> 사실 저희가 바뀌었기 때문에 그전으로 돌아가기 어려워요.
> 예전에는 다른 회사로 취직했겠지만 이미 버린 몸이라(웃음).
> 다시 동물 가죽 써서 제품 만들라고 하면 못 할 것 같아요. 내가
> 이렇게 안 하면 할 게 없어요. 우리 둘 다 매달릴 게 이거밖에
> 없는 거죠. 그래서 이걸로 어떻게든 잘 먹고 살아야 돼요. 그리고
> 비건패션 하면서 우리가 맨날 하고 싶다는 게 있거든요. 그걸
> 하기 위해서 또 지속해야 해요. 우리가 계획하고 있는 것들,
> 나중에 하고 싶은 것들을 위해서라도 해야죠.

신념 이런 거 자꾸 여쭤보니까 거창한 거 아니라고 하시는데 어떻게 보면 강한 신념이죠. 그 자체로도 의미가 있지 않을까요?

맞는 거 같아요. 오글거린다고 느껴지지는 않는데 저희는 그냥 너무 자연스러워요. 내 삶이 너무. 그냥 그게 내 삶이 되어버려서.

그전으로 돌아가기 어려워요

지금까지 많은 선택의 순간을 마주해오셨을 것 같아요. 좋은 일을 해야겠다는 생각보다 내가 할 수 있는 일을 해오며 여기까지 오신 거겠죠?

내가 잘할 수 있는 것으로 시작한 것도 있어요. 말 그대로 지금 할 수 있는 게 이거니까 스스로가 잘할 수 있는 거니까요. 그렇기 때문에 하는 거 같아요. 진짜 기존의 패션업계로 가라면 다시 못 갈 거 같아요. 시선이 너무 변했어요. 가죽을 보는 시선. 한 번

달라지고 나면 그전으로 돌아가기가 어려운 것 같아요.

나의 가치와 일을 일치시키는 현재의 삶이 안전하다고 표현할 수 있을까요?

안전한 곳이 사실 제일 많은 싸움이 일어나고 있는 곳이기도 한 것 같아요. 고민을 멈추면 안 되죠. 가치관을 공유하는 조직문화를 만들기 위한 고민도 고민이고, 낯선 곳으로 매번 한 걸음씩 나가야 하니 두려움이 있죠. 허공에 발 내딛는 것 같은 느낌. 검증받은 증명된 길은 아닌데 나가야 하니 가긴 하는데 어디로 향하는지 방향도 모호하고, 바닥이 있을지 없을지도 모르면서 가는 길인 것 같기도 하고요. 게다가 혼자 하는 일은 아무것도 없죠. 뭘 바꾸든지 새롭게 개척하든지 사람들을 계속 만나게 되잖아요. 그런데 말씀하신 것처럼 나와 꼭 맞는 사람만 만나는 건 아니니까. 존재하는 것 자체가 다 치열한 것 같아요.

두 분이 나름 룰을 정해서 일한다고 들었는데 삶의 많은 부분을 차지하는 게 일이잖아요. 나한테 일은 어떤 의미인지 어떻게 정의하고 계세요?

지금은 사실 삶과 일이 분리가 잘 안 돼요. 그래서 정의가 어려워요. 그래도 하나 얘기하자면 그동안 배운 게 있어요. 번아웃^{burn out}을 심하게 겪었던 사람으로서 쉴 때는 무조건 충분히 쉬는 걸 중요하게 생각해요. 삶과 일이 분리가 잘 안 되면 '쉴 시간이 어디 있어?'라고 생각하는 경우가 많잖아요. 서로 계속 그건 아니라고 이야기해 줘요. 그 점이 중요한 것 같아요. 이왕 가는 거 내 페이스를 조절하지 않으면 언젠가는 무너지기 쉽잖아요. 건강도 그렇고, 무조건 쉬어야 된다고 이야기 들으면 그걸 조금 더 살펴 듣고 쉬려고 노력해요. '휴식 시간을 찾아야 해' 이걸 알면서도 안 하잖아요.

의식적으로라도 휴식의 시간을 가져야 재충전이 되는군요.

말만 이렇게 하지. 토요일, 일요일 못 쉰 지 오래됐어요. 일이 재미있다고 느껴지는 때는 제가 스스로 성장한다는 생각이 드는 지점이에요. 사람 대하는 스킬이라고 해야 하나. 커뮤니케이션 능력이 많이 좋아진 것 같아요. 원래 저(박진영)는 싫은 사람은 안 보고 적대적으로 대하는 편이거든요. 근데 일하면서 바뀌는 거 같고 일을 점점 잘하게 되는 것도 되게 재미있어요.

옷에 대해 알아가는 것도 재미있고, 경험해보는 소재가 점점 늘어나면서 그 소재들의 특성을 알게 되잖아요. 알고 제작하는 거랑 모르고 하는 거랑 다르거든요. 내가 이 분야에서 전문가가 되어가고 있다는 그런 느낌이 매우 좋아요. 또 사업을 하면 성과가 바로 나한테 직접적으로 오잖아요. 그게 좋을 때도 있고 무서울 때도 있지만 그러면서 단단해지는 것을 피부로 느끼고 있어요.

저도 그런 변화를 겪을 수 있을지 궁금하네요. 비슷한 길을 가고자 하는 20~30대 여성 후배들에게 전하고 싶은 말씀이 있을까요?

저희가 줄 수 있는 건 솔직히 별로 없어요. 오히려 이렇게 인터뷰와 관심을 통해 저희가 더 많이 얻는 것 같아요. 그래도 말해보자면 제품 아닐까요? 조금이라도 개척해 놓았다는 거죠. 패션 시장 안에 비건 브랜드가 없었고 있더라도 디자인이 이상하다든지 퀄리티가 나쁘다든지 열악했죠. 그럼에도 불구하고 이런 좋은 제품이 있다는 걸 보여주는 거죠. 그럼 또 다른 사람한테도 길이 조금 열리게 되고 그런 거 같아요.

기회가 닿을 때마다 목소리 높여 이야기하는 것도 여성 리더로서 영향력을 펼치는 데 중요한 것 같아요.

저희가 항상 하는 말이 있어요. 우리가 지속 가능한 세상을

추구하기 위해 노력하고 있잖아요. 그전에 지속 가능한 세상을
위해서는 먼저 내 삶을 지속 가능하게 했으면 좋겠어요. 요즘
어떻게 저렇게 똑똑하지 싶을 정도로 똑똑한 사람들이 많은데
경쟁은 너무 치열해졌어요. 그 치열함 속에서 너무 소진되지
않았으면 좋겠어요. 그 안에서 내 삶을 어떻게 하면 지속
가능하게 할 수 있을까 고민하면 좋겠어요. 그래서 요즘에는
힐링할 수 있는 취미들 많이 하시는 거 같아요. 책을 많이
읽는데 그것도 하나의 방법이기도 하고. 어떤 방법으로라도
자기를 너무 번아웃시키지 않았으면 좋겠어요. 가치도
중요하지만 자기를 돌보면서 해야지 세상도 바꿀 수 있는
거니까요.

덤덤함과 자연스러움의 연속이었다. 가치를 추구하는 창업자의
강한 의지 같은 것을 기대했는데 어렵거나 강력한 말의 몰아침보다는
스스로를 다잡는 단단함이 차분하게 전해졌다.

약속한 두 시간의 인터뷰 일정을 눈 깜짝할 사이에 넘기고도 대화를
마무리하기 무척 아쉬웠다. 처음에는 갸우뚱했다. 너무 순식간에 끝난
느낌이라 마치 잠깐 가벼운 대화를 마친 기분이었다. '어떻게 원고를
쓰지?' 걱정됐다.

다시 원고를 읽어보며 깨달았다. 어느 하나 튀는 부분 없이 메시지가
일관적이었다. 그들에게 비거니즘은 자연스러운 삶의 기본값이었다. 그
당연함은 어디서 나오는 걸까 궁금했다. 힘들 때 어떻게 하는지 물었다.
두 대표는 '힘들지 않다'라고 말했다. 비건 브랜드 사업을 준비하는
예비 창업자 입장에서 조언을 구했는데 '우리의 방향은 비건 브랜드가

아니다'라고 답했다. '좋은 일 하시네요'라는 말을 듣는 건 창업가의 태도가 아니라고 했다.

낫아워스는 멋진 패션 브랜드를 지향한다. 비건만이 그들의 비즈니스 타깃은 아니었다. 우리는 멋진 패션 브랜드가 되고 싶은데 단지 비건이란 이유로 구매를 이끌어 내고 싶지는 않다고 했다. 당시 나는 '비거니즘' 가치에 꽂혀서 의욕만 앞서 있었다. 낫아워스의 대답은 편협하고 뜨거운 시야에서 벗어나 다른 걸 볼 수 있게 된 계기가 되었다. 시야가 확장된 느낌이었다.

낫아워스의 박진영, 신하나 공동 대표는 내게 어떤 명확한 문장으로 답을 내리기보다 처음부터 끝까지 일관된 모습을 보여주었다. 위로도 받았다. '왜 그런 일을 해요?'라는 질문에 주춤하지 않아도 된다는 말을 들었기 때문이다. 그저 존재 자체가 메시지이고 싸움이니까.

인터뷰 이후, 새 학기가 시작될 즈음 코로나 바이러스 팬데믹 상황이 되었다. 온라인 개강으로 화상회의 수업을 도저히 따라가기 어려워 휴학을 결심했다. 잠깐 학업을 멈추고 'Make change in safety'를 슬로건으로 나는 사업에 더욱 집중하고 있다. 지속가능한 삶을 추구하라는 낫아워스의 응원을 실천하려고 노력하는 나처럼, 변화를 만들고자 하는 사람들이 이 글로 위로를 받았으면 하는 바람이다.

2 진저티프로젝트
공동대표 **서현선** · 팀장 **안지혜**

조직과_개인의_건강한_변화를_위한_실험실

본질에_대한_깊은_고민

모두가_리더십을_발휘하는_이상한_조직

진저티프로젝트(이하 진저티)에는 늘 질문이 흐른다. "어떤 걸 느끼셨나요?", "어떻게 생각하세요?", "우리가 이 일을 하는 이유는 무엇인가요?" 끊임없이 질문하고 대화한다. 이들에게 가장 중요한 가치는 학습과 성장이다.

이 조직의 시작은 독특하다. 출산과 육아를 하며 기존 조직으로의 재취업에 한계를 느끼던 세 명의 경력보유 여성이 스터디 모임을 만들었다. 스터디 모임을 통한 학습도 좋았지만 세 명 모두 일에 대한 욕구가 있음을 발견하고 함께 프로젝트를 시도하면서 2014년 주식회사를 만드는 것으로 이어졌다. 여성으로서 기존의 조직문화에서 마주하는 한계를 알기에, 그들 자신에게 잘 맞는 유연한 업무 구조를 실험하다 보니 진저티만의 독특한 문화가 만들어졌다.

진저티는 '개인과 조직의 건강한 변화를 위한 실험실'이라고 스스로 소개한다. 개인이 가진 가능성과 취약성을 있는 그대로 존중하고 원칙과 효율 보다는 소통과 협동을 우선순위에 놓는 곳. 진저티는 조직의 성장보다 개인의 성장을 위해 조직 전체가 함께 고민하고 대화한다.

6개월이라는 시간을 인턴으로 함께했지만, 이 조직에 대한 모든 궁금증은 여전히 남아있다. 진저티를 잘 이해했다고 말하기는 어렵지만, 창업을 한다면 이런 조직과 같은 형태로 만들고 싶다는 마음이 있었다. 인터뷰를 통해 다시 진저티를 만난 이유다. 진저티프로젝트의 창업자이자 공동대표인 서현선 님, 인턴 시절 첫 사수 안지혜 님, 이 책의 프로젝트 매니저인 전혜영 님을 만나 못다 한 대화를 펼쳤다.

**진저티는 그동안 다양하고 재미있는 프로젝트를 해왔는데요. 어떤
기준으로 일을 결정하고 시작하는지 궁금해요.**

현선: '우리가 하고 싶은 일인가?'라는 질문은 진저티에서 매우
중요한 질문이에요. 하지만 이 질문은 '이 일이 우리가 해야
할만한 의미가 있는가?'도 내포하고 있어요. 나에게 '재미가
있는가, 흥미가 있는가'도 중요하지만 '나를 지속시킬만한
의미를 이 프로젝트에서 찾을 수 있는가'가 프로젝트를 결정할
때 중요한 기준이 되죠. 해볼 만한 일이고 의미가 있다고
생각되면 재미있지 않더라도, 고된 수고가 수반되더라도 맡게
되더라고요.

진저티가 '하고 싶은 프로젝트를 한다'는 의미는 '하고 싶은
업무만 한다는 것'과는 차원이 달라요. 신선하고 재미있는
주제의 프로젝트를 시작해도 그 일을 진행하는 과정 중에는
피하고 싶거나 하기 싫은 일이 있을 때가 많아요. 그렇지만
지속시킬만한 의미가 있다면 끝까지 해나갈 수 있는 것 같아요.

하고 싶은 일인지 묻는 것은 단순히 재미를 좇는 것이 아니라 의미를 찾는 과정이었네요.

> 현선: 진저티는 '이 프로젝트의 의미와 본질은 무엇인가'를
> 끊임없이 물어요. 저희가 하는 일은 몰입도가 깊고 완성도가
> 높아야 해서 때로는 지치기도 하고 재미도 사그라들거든요.
> 그걸 견딜 힘은 의미를 찾는 거죠. 그래서 프로젝트 초반에는
> 이 프로젝트의 의미가 무엇일지 긴 대화를 나누곤 해요. 그래야
> 중간중간 만나는 골짜기를 잘 지나갈 수 있다고 생각해요.

진저티는 NPO^{Non Profit Organization, 비영리조직}부터 시민사회단체, 대기업, 정부 기관, 때론 중·고등학생과도 파트너로 연결되어 있죠. 진저티에는 폭넓은 파트너와 일하면서 좋은 네트워크를 만들어가는 힘이 있다는 걸 느꼈어요. 이렇게 다양한 파트너들과 어떻게 일하는지 궁금해요.

> 현선: 맞아요. 진저티의 파트너들은 참 다양해요. 처음부터
> 그렇지는 않았어요. 지난 6년 동안 매해 새로운 파트너와 일하는
> 경험이 쌓이면서 지금과 같은 다양한 파트너십이 형성되었어요.
> 새로운 파트너십을 시작할 때는 늘 낯설어요. 그렇지만
> 진저티 안에는 독특한 DNA가 있는 것 같아요. 상대방과의
> 소통을 끈질기게 하면서도 유연한 경청의 자세를 유지하는

것. 새로운 파트너와 일한다는 것은 매번 산통을 겪는 것 같은 어려움이 있죠. 파트너는 그들만의 문화를 갖고 있기 때문에 잘 파악하려면 잘 듣는 것에서부터 시작할 수밖에 없어요. 그래서 '잘 듣는 능력'이 진저티 안에 DNA처럼 남아 있는 것 같고, 이 DNA가 다시 또 다양한 파트너와 일하게 하는 능력이 되는 거죠.

지혜: '잘 듣는 능력'은 상대방이 하는 말을 곧이곧대로 듣는 것을 뜻하지는 않는다고 생각해요. 때론 사람은 자신이 말하면서도 이 말을 왜 하는지 모르고 말할 때가 있으니까요. 특히 원하는 기대나 방향은 당사자일수록 상황에 갇혀서 생각하기 쉽다는 걸 알고 있죠. 진저티가 말하는 '잘 듣는다'는 상대방이 하는 말에 100% 맞추는 것이 아니라, 전체적인 상황이나 맥락을 함께 생각하며 듣는 것에 가까워요. '이 상황에서 이 말은 어떻게 해석해야 하는가?', '필요한 게 정말 이 결과일까?' 질문하며 당사자도 모를 수 있는 행간을 읽기 위해 노력해요. 이게 진저티가 말하는 잘 듣는 것의 정의인 것 같아요.

혜영: 맞아요. 파트너가 원하는 요구를 맞추고 정답지 같은 결과물을 솔루션으로 전달하는 것과는 달라요. 파트너가 제시한 문제 정의를 진저티의 방식으로 재구성하고 디자인해서 실험한 결과물을 공유하죠.

파트너와 의사소통 할 때도 분명한 진저티만의 생각이 있네요.

현선: '무슨 문제를 해결하고 싶은 걸까, 본질적으로 무엇을 하고 싶은 걸까?' 깊게 생각하죠. 이런 본질적인 고민을 공유할 수 있다면 누구와도 파트너가 될 수 있다는 관점이 있어요.

누구와도 파트너가 될 수 있다는 생각은 결과물에 대한 확신이 있기 때문에 가능한 것일까요?

현선: 결과물에 대한 확신이 있진 않아요. 하지만 본질에 대해 깊게 고민한다면 의미 있는 과정과 실제적인 결과가 구현될 거라는 믿음이 있어요. 과정이든 결과든 우리가 무엇인가는 얻을 수 있을 거라는 생각이에요. 고민과 수고를 성실하게 한다면 파트너와 진저티 서로 만족할 수 있는 어떤 결과물을 만들 수 있으리라 생각해요.

보편적인 일 방식과는 다르다는 생각이 들기도 해요. 현선님은 창업 멤버이신데 처음부터 이런 조직 문화를 만들겠다는 비전이 있었나요?

현선: 아뇨. 사실 저는 진저티가 6년 이상 지속될 거라는 걸 상상하지 못했어요. 언제든 끝낼 수 있는 조직실험이라고

생각했죠. 그런데 돌아보면 그런 생각 때문에 상당히 독특한 문화를 만들어볼 수 있었어요. 지난 년을 돌아보니 이제는 진저티라는 조직만의 성품과 개성이 생긴 것처럼 보여요. "진저티답게 결정하는 건 이런 거야"라고 구성원들이 공통으로 생각하는 방향이 생겼어요.

개인의 삶과 조직의 가치를 배타적으로 보지 않고, 효율성보다는 방향성을 중요하게 생각하고, 구성원들에게 자율권을 많이 부여하고 조직을 유연하게 운영하는 것이 진저티답다고 느껴요. 새로운 실험에 도전하고 서로를 성장시키는 것을 격려하는 문화가 있고요. 한편으로는 성실성이 중요한 것이 진저티의 문화라고 생각해요. 자유가 많지만 성실성에 기반한 신뢰로 운영되는 조직이죠.

이제는 진저티 규모도 꽤 커진 것 같아요. 성장의 원동력이 무엇이라 생각하세요?

지혜: 본질에 집중하니까 지속가능성이 따라왔다는 생각이 들어요. 조직의 지속 가능함을 먼저 추구한 게 아니라 본질에 집중했던 것이 지금의 진저티를 만든 거죠. '우리가 할 수 있는 게 뭐지? 뭘 하고 싶지? 왜 해야 하지?'하는 질문에 집중하고 본질을 고민하면서 해를 넘기다 보니 지속가능성이 된 게 아닐까요.

현선: 사람의 힘인 것 같아요. 진저티라는 조직 실험에는 많은 사람들의 수고와 기여가 있었어요. 진저티는 높은 주인 의식을 가진 사람들에 의해 성장한 조직이에요. 일반적으로 조직에서 주어지는 것보다 훨씬 높은 수준의 능동성을 구성원에게 부여했기 때문에 성장할 수 있었다고 생각해요. 저희는 조직의 형태도, 운영도, 리더십도 실험적이었어요. 시간과 공간의 주도권을 구성원들에게 주고, 관리체계를 줄이고 대화를 늘리는

방식으로 운영해 왔죠. 고등학생부터 경력보유 여성까지 다양한 사람들이 내부로 들어올 여지를 열어 놓았는데 그 덕분에 다양한 사람들과 함께 진저티라는 조직을 만들어 올 수 있었어요.

지혜 님, 혜영 님 두 분에게 묻고 싶어요. 진저티의 조직문화를 직접 느끼는 순간은 언제인가요?

지혜: 지난주 예지 님과 4시간 대화한 날이 그랬죠. 솔직히 이야기하자면 6개월의 인턴십이 서로의 기대를 모두 채우지 못하고 아쉽게 끝났다고 생각했어요. 여기에는 저의 책임도 있다고 생각했기에 늘 마음 한편에 아쉬움과 미안함이 있었죠. 제대로 인턴십을 회고하고 해석할 수 있도록 도와주어야 한다는 마음이 있었는데 대화를 시작할 용기가 선뜻 나지 않더라고요.

원래는 일의 진행 사항을 확인하고 다음 할 일을 정하는 회의였는데 예지 님과 대화를 나누다 보니 서로를 기억할 수 있는 좋은 마지막 장면이 필요하단 생각이 들었어요. 예지 님이 진저티를 인터뷰하며 함께 좋은 대화를 나눴으면 좋겠다고, 4시간 동안 예지 님을 붙잡고 설득하면서도 마음속으로는 '사실 나도 자신 없는데, 이제 지치는데 그만 대화할까?' 싶기도 했어요.

“

'우리만큼은, 우리 같은 실험을 하는 사람이라면
반대로 가보면 안 될까?
우리가 이 일을 하기로 선택했다면
깊게 끝까지 생각해보고 가면 안 될까?'
싫었죠.

”

사람의 관성이 있잖아요. 어느 정도 노력했다 싶으면 여기서 마무리하고 싶은 관성. 그런데 진저티의 조직문화는 그 관성을 거스르게 하는 것 같아요. '아냐, 그래도 예지 님을 위해선 이 경험이 필요할 것 같아. 하기 싫더라도 이 관성을 거스르고 끝까지 더 가야 하지 않나?' 하면서 관성을 이기게 되더라고요. 맞는 방향이 무엇인지 아니까. 끝까지 끈질기게 대화하는 걸 보면서 내가 내 관성을 거스르고 있다는 걸 느꼈죠.

혜영: 대부분의 조직은 기존에 설정된 목표를 달성하기 위해 효율적이고 검증된 방식으로 일을 진행하잖아요. 근데 진저티는 이 과정이 조금 달라요. '네가 할 수 있는 최선을 다해서 해 봐' 하고 구성원에게 방법과 과정을 열어두죠. 그렇기 때문에 결과물 자체가 완전 새롭게 나올 때가 많아요. 이런 방식이 모호하고 힘들지만, 꾸준히 성실하게 해나가다 보면 일반 조직에서 주어진 목표치와는 많이 다른 스페셜한 결과가 나오는 것 같아요.

리더들은 조직의 문화에 큰 영향을 미치기 마련이잖아요? 현선님은 진저티 조직문화에 어떤 영향을 미치고 있다고 생각하세요?

현선: 흠. 쉽지 않은 질문이네요. 일단 제가 가장 노력한 건 '효율성을 최우선으로 하는 업무 습관'을 바꾸는 것이었어요.

의도적으로 비효율을 추구하는 거죠. 빨리빨리 기존 프로세스대로만 효율적으로 문제를 해결하는 게 아니라 본질적인 것을 질문하고 모두의 이야기를 듣고 다양한 방식을 시도하며 새로운 길을 찾아가고 싶었어요. 좀 안 가본 길이더라도 그래서 좌충우돌하더라도요.

효율은 자칫하면 비인간화되는 과정이라고 생각하거든요. 사람의 실제 내면과 가능성을 잘라버리고 기계적으로 만들기 쉬워요. '우리만큼은, 우리 같은 실험을 하는 사람이라면 반대로 가보면 안 될까? 우리가 이 일을 하기로 선택했다면 깊게 끝까지 생각해보고 가면 안 될까?' 싶었죠. 어떤 부분은 속도보다 인내를 택하고 싶었던 것 같아요. 그래서 사람들이 저한테 제일 많이 듣는 말이 "괜찮아" "기다려보자", "빨리하려고 하지 말자", "모두의 이야기를 들어볼까"에요.

혜영: 제가 저 말을 많이 들었어요. "천천히 가도 돼요", 심지어 "실패했으면 좋겠어요" 보통 조직에서는 절대 들을 수 없는 말이에요(웃음).

현선: 조직 생활을 하다 보면 사람들의 내면과 업무가 괴리되기 쉽다고 생각해요. 내면에는 동기부여가 안 된 채 그냥 대충 손발만 움직여서 일을 처낸다든지, 진짜 해야 할 일은

이거지만 이건 해결해야 할 문제가 너무 많고 뭐라도 했다고 말하고 싶으니까 눈에 잘 보이는 일만 하게 된다든지. 하지만 진저티에선 속도를 늦추더라도 본질을 추구하며 학습하고 싶었어요. 대면하기 어려운 것도 끝까지 마주해보면서 내면과 업무가 괴리되지 않게 일하고 싶었죠. 일단 제가 그렇게 일해보고 싶었어요.

진저티 명함 뒷면에 '변화를 읽습니다, 지식을 짓습니다, 네트워크를 디자인합니다'라는 문장이 있잖아요. 진저티가 하는 일을 잘 설명하지만 모호하기도 해요. 진저티가 하는 일을 좀 더 쉽게 설명해주실 수 있을까요?

현선: 진저티가 다양한 사업을 하지만 교향곡의 변주처럼 중요한 테마를 변주하는 일이 많아요. 예를 들면 밀레니얼 세대 연구, 청소년 주도 연구 '고등학자', 경력보유 여성을 대상으로 한 'IMPACT CAREER W' 교육까지 모두 주체가 다르지만 사실은 하나의 테마에요. 평가 절하된 주체의 가능성과 에너지를 드러내는 것에 일관적으로 집중해왔다고 생각해요. 밀레니얼 세대가 사회에 얼마나 큰 변화를 일으킬 수 있는 사람인지, 청소년이 얼마나 주도적으로 연구를 해낼 수 있는지, 경력보유 여성이 일터에서 얼마나 파워풀한 에너지를 낼 수 있는지.

이 책 〈롤모델보다 레퍼런스〉의 작가인 20대 학생들도
누군가에게 일을 배워야만 하는 사회초년생이 아니라 얼마든지
스스로 새로운 일을 개척해나갈 수 있는 존재라는 것을 드러내는
거죠. 신념으로 갖고만 있는 게 아니라 각 주체가 가진 가능성이
드러나는 기회와 구조를 만들고 이들의 이야기를 잘 듣고
관찰해서 어떤 형태로든 사회에 보여줌으로써 메시지가 되게
하는 것. 그게 진저티의 일하는 방식인 것 같아요.

지혜: 사회에서도 모두 비슷한 메시지를 만들잖아요. "경력보유
여성은 이렇게 바라보아야 한다", "학생들은 우리의 미래이니까
그들의 목소리를 듣자" 진저티는 이런 일반적인 메시지를 그냥
받아들이지 않고 몸으로 직접 부딪쳐보죠. 경력보유 여성을
채용해서 함께 일하고, 고등학생을 연구할 땐 고등학생에게
연구자의 역할을 주고. 경험이 있으니까 '이들과 직접
함께해보니 가능하더라, 이 과정과 구조가 필요하더라'라는
메세지가 파워풀하게 전달되는 것 같아요.

말하고자 하는 메시지를 진저티만의 방식으로 소화해서 증명하는 것 같아요.

> 현선: 맞아요. 사람들이 쉽게 말하는 것, 뻔하게 보이는 것에 태클을 걸죠. 사람들이 밀레니얼 세대에게 'N포 세대'라는 이름을 붙이고 이들의 한계에 집중한다면, 저희는 밀레니얼 세대의 가능성과 에너지를 찾아내고 드러내는 데 집중하죠. 경력보유 여성의 경우도 단순히 지원이나 배려가 필요한 사람으로만 바라보기도 하는데 그들이 얼마나 큰 에너지를 가졌는지를 현실에서 증명할 수 있도록 실험해요. 그렇게 계속 기존의 사회에 균열을 내는 일을 해나가고 싶어요.

피드백은 점수가 아니에요

진저티의 밀레니얼 세대 연구를 보며 '나의 세대를 이렇게 설명할 수도 있구나' 싶었어요. "밀레니얼에게는 재미와 의미가 필요하다.

조직의 성장보다는 자신의 성장이 중요하다"와 같은 말로 밀레니얼 세대를 대변하는 이야기를 조직과 사회에 들려주셨는데요. 반대로 밀레니얼에게는 어떤 말씀을 해주고 싶은지 궁금해요.

지혜: 저도 밀레니얼 세대지만 경력 6년 차로 일하면서 새롭게 생각하게 된 부분이 있어요. 시간이 흘러 위치가 바뀌니까 할 수 있는 일과 할 수 있는 말이 달라지더라고요. 세대를 아우르는 특성이 물론 있지만 각자가 처한 위치성도 고려해야 한다고 생각해요.

사회 초년생은 듣고 싶은 말보단 듣기 싫은 말을 더 많이 듣는 위치에 있고, 윗세대를 '꼰대다', '라떼는 말이야' 하면서 농담 반, 진담 반 선 긋기 쉽잖아요. 저만 해도 리더의 위치에 갔을 때, 관리자의 역할을 해야 할 때, 제가 쉽게 생각했던 '꼰대의 말'을 하지 않을 수 있을까 싶어요. 어떤 상황을 세대 특성이라고 뭉뚱그리는 게 아니라 나에 대한 객관적인 시선도 필요하다고 생각하게 돼요.

현선: 예지 님처럼 일의 세계에 막 들어가기 시작한 90년대생들에게 해주고 싶은 말이 있어요. 일의 세계에는 다양한 속도와 리듬감이 존재하고, 이를 경험해보라고 하고 싶어요. 예지 님 같은 젊은 세대는 일의 빠른 처리와 속도감 있는 피드백을

원하는 경향이 있어요. 물론 그런 빠른 속도가 어떤 경우에는 매우 효과적이긴 하지만, 다양한 세대나 구성원이 일하는 상황에서는 천천히 속도를 줄일 때 더 큰 효과가 있는 경우도 있어요.

프로젝트나 조직의 전반을 이해하고 함께 일하는 사람들과 신뢰를 쌓아가는 것은 빠르게 이루기 어려워요. 어떤 경우에는 멈춰야만 알게 되는 것도 있고요. 밀레니얼은 빠른 속도에 익숙한 그룹이죠. 하지만 느린 속도로 가야 할 순간도 존재하고 소통과 협력을 위해 멈추기도 해야 한다는 것도 배울 수 있으면 좋겠어요. 다양한 속도를 즐겁게 경험해 보았으면 좋겠어요.

진저티에서 인턴으로 일하며 다양한 피드백을 들을 수 있어서 좋기도 했지만, 때론 혼란스러움을 느끼기도 했어요. '이건 원래 나의 모습인데 고쳐야 하는 걸까? 틀린 게 아니라 다른 방식을 가진 게 아닐까?' 하는 생각이 들기도 했고요. 사회 초년생이라는 특성상 앞으로도 많은 피드백을 받게 될 텐데 어떤 자세로 어떻게 받아들여야 할까요?

현선: 일터에서 학생의 정체성으로 피드백을 받는다면 혼란스러운 상황이 될 거예요. 일터에서의 피드백을 학교에서 받는 점수나 평가로 생각하면 힘들어져요. 일터는 공동의 목표를 이루기 위해 서로 피드백을 주고받는다는 것을 기본으로

전제해야 해요. 피드백을 받는 사람이나 하는 사람이나 공동의 목표를 위해서 하는 거죠. 가장 조언해 주고 싶은 건 일터는 학교가 아니라는 점이에요.

애초에 학교와 직장에서 이루어지는 피드백은 다르다는 말씀이시군요. 그걸 인지하고 있어야 하고요.

현선: 피드백을 받으면 사회초년생은 일단 긴장하죠. 마치 점수가 낮아서 지적받는 감정이랄까요. 하지만 일터에서의 피드백은 함께 일하기 위한 공동의 룰이거나, 어떻게 일을 더 잘할 수 있을지에 대한 대화에 가까워요. 함께 일을 잘하기 위해서 서로의 생각과 상태를 알아야 하므로, 조직이 갖고 있는 고유의 맥락을 알려 주기 위해서 피드백이 있는 거죠. 그래서 '나는 몇 점인가?' 같은 학교의 기준으로 피드백 받지 않는 자세가 필요해요. 선생님과 학생이 아니라 동료로서 함께 더 잘하기 위한 것을 만들어 가는 거니까. 그 부분이 이해되면 좋지 않을까요.

지혜: 저도 피드백은 항상 어려워요. 늘 더 잘하고 싶은 영역이 피드백이에요. 하지만 부정적인 영향을 미치는 대화나 피드백도 일터에서 존재해요. 일터가 그렇게 완벽한 곳은 아니니까요.

그래서 저 같은 경우는 저의 고유한 특성이나 인격을 건드리는 피드백을 받았을 경우 쉽게 결론 내리지 않으려고 노력해요. 나를 성장시킬 수도 있지만 필요 이상의 상처를 줄 수도 있으니까요. 나만의 무중력 지대에 피드백 받은 문장을 떠우고 동시에 '이 사람은 왜 내게 이런 피드백을 했을까? 맞는 말일까, 틀린 말일까? 어떻게 흡수해야 할까?' 같은 여러 질문을 함께 열어두고 오래 생각하는 편이에요. 듣자마자 '이 피드백을 100% 흡수해야겠어' 하는 것도, '이 말은 완전히 틀렸어'하며 선을 긋는 것도 나를 위한 건강한 방향이 아닌 것 같아요. 오래 생각하다 보면 하나의 피드백에서도 흡수해야 할 것, 그럴 필요가 없는 것이 정리되거든요. 천천히 소화하는 거죠. 필요에 따라서 하나의 피드백을 유연하게 받아들이는 자세도 필요하지 않을까 싶어요.

'나만의 무중력 지대를 만들라'라는 말씀이 와 닿아요.

현선: 무엇보다 신뢰가 쌓이는 과정이 중요하다고 생각해요. 똑같은 말이라도 어떨 때는 굉장히 공격적으로 느껴지고 어떨 때는 지지와 격려로 느껴질 수도 있어요. 예를 들어 누군가에게 어떤 피드백을 들었는데, '이 사람이 나를 위해 고민해 주는구나'하는 신뢰가 있으면 피드백이 마음에 들든, 안 들든 잘

소화하려고 노력할 거예요. 피드백을 잘하느냐도 중요하지만 신뢰가 있느냐가 좋은 피드백을 결정하는 게 아닐까요?

창업해서 조직을 만들기를 꿈꾸는 사람으로서 좋은 피드백을 어떻게 해야 할지 벌써 고민이 되네요.

지혜: 내가 말하고 싶은 피드백과 상대방이 들어야 할 피드백이 다를 때가 있죠. 내가 말하고 싶은 피드백만 하는 건 나쁜 피드백이 될 여지가 큰 것 같아요. 내가 하고 싶은 말도 있겠지만 그런 관성을 거스르고 '상대방에게 좋은 피드백은 뭘까, 지금 이 사람에게 필요한 말이 무엇일까'를 먼저 고민하고 내놓는 게 좋은 피드백이라고 생각해요.

현선: 사실 말을 어떻게 잘할까는 답이 없어요. '더욱 건강한 신뢰 관계로 나아가려면 어떻게 해야 할까?'라는 마음가짐에서 시작해보면 어떨까요.

"

구불구불하고 예측 불가능한 길이기에
내 커리어에 대한 고민을
건강하게 나눌 수 있는 사람들,
함께 돌아볼 수 있는 동료의 존재도
굉장히 중요하다는 걸 느껴요.
이 길은 탐색하고, 탐험하고, 여행하는
긴 과정이 될 것이니까요.

"

지금 하는 창업 프로젝트에서 리더를 맡고 있다 보니 고민이 많아요.
조직문화의 힘을 느낀 게, 인턴이 끝난 지금도 진저티에서 하는 말이나
행동을 제가 그대로 이 창업 팀에서 쓰더라고요. 저도 진저티처럼
학습하는 조직, 유연하고 말랑한 조직을 만들고 싶어요. 그러려면 모든
개인이 리더십과 팔로워십을 균형 있게 갖추는 게 필요하단 생각이
들었어요. 좋은 리더십과 팔로워십은 무엇일까요?

현선: 이 대답만 한 시간 넘게 말할 수도 있어요(웃음). 지금
생각나는 리더의 기본자세는 '잘 듣는다' 그리고 '잘 듣기 위해서
끊임없이 노력한다'예요. 때로는 듣기 힘든 이야기더라도 들을
준비가 되어 있는지, 상대방에게 안정감을 주고 충분히 이야기할
수 있게 해주는지 혹은 누군가를 제외하지 않고 모두의 이야기를
듣는지, 그 사람이 미처 말로 표현하지 않는 마음의 소리도
듣는지 고려하는 게 '잘 듣는다'를 뜻하죠.

'잘 듣는다'라는 건 생각보다 기민한 감각을 요구하네요.

현선: 함께 일하는 관계 속에서 끊임없이 리더에게 요구되는
훈련이죠. 때로는 저도 어떤 프로젝트에서 팔로워의 역할을 할
때가 있어요. 팔로워로서 제가 노력하는 부분은 내가 미처 보지
못한 수고를 리더가 하고 있을 것이란 신뢰 아래서 행동하고
존중하기에요. 팔로워는 사실 비판하기 쉬운 위치죠. '왜 저걸
안 하지?'라는 생각이 쉽게 들어요. 누군가 리더십을 발휘하고
있을 때, 내 눈에 보이지 않아도 많은 수고와 고민을 하고 있음을
존중하고 관계를 맺는 것이 중요하다고 생각해요.

이건 진저티 초창기에 훈련된 감각이에요. 그 시기는 누가
팔로워인지, 리더인지 구분이 어려운 형태였거든요. 대화를
나누다 누군가가 강한 의지를 갖고 어떤 일을 추진해보겠다고
하면 생각과 달라도 기꺼이 따라갔어요. 그만큼 의지를 갖고
이야기한다면, 보이지 않는 곳에서의 고민과 수고를 그만큼
할 거라는 믿음과 존중이 서로 있었죠. 그때 팔로워십을 많이
배웠어요.

마지막으로 끊임없이 성장하고 싶은 저와 같은 20대에게 해주고 싶은 말이 있으실까요.

현선: 확신할 순 없지만 앞으로 커리어는 구불구불한 길이 될 확률이 높아 보여요. 제 커리어도 직선으로 쭉 치고 나가는 선이 아니라 구불구불한 곡선이었어요. 천천히 가는 구간, 일을 조금 하는 구간, 많이 하는 구간, 리더가 된 구간이 섞여 있었고, 앞으로의 커리어도 예측 불가능하죠. 빠르게 변화하는 사회 분위기 속에서 직선형 커리어가 아닌 곡선형 커리어가 펼쳐지는 이때 여성 특유의 유연함과 적응력이 발휘될 수 있다고 생각해요.

구불구불하고 예측 불가능한 길이기에 내 커리어에 대한 고민을 건강하게 나눌 수 있는 사람들, 함께 돌아볼 수 있는 동료의 존재도 굉장히 중요하다는 걸 느껴요. 이 길은 탐색하고, 탐험하고, 여행하는 긴 과정이 될 것이니까요. 모두가 각자 독특한 길을 갈 확률이 높기 때문에 지나오는 과정을 잘 회고하며 자신만의 좋은 리듬을 만들어야 해요. 불확실함 속에서 서로를 잡아주는 좋은 관계, 성실함을 잃지 않게 하는 관계와 공동체를 만들어가면 좋지 않을까요. 이건 저 자신에게 하는 다짐이기도 해요.

지혜: 20대 취업을 앞두고는 좋아하는 일을 직업으로 갖고 싶다는 환상이 있었어요. 가장 좋아한다고 생각한 일을 직업으로 시작하더라도 하기 싫은 걸 해야 하고, 듣기 싫은 걸 들어야 하는 일의 특성이 어떤 일을 '100% 좋다!'라고 말할 수 없게 하죠. 자연스럽게 흥미도 떨어지고 '나를 위한 운명 같은 일은 아직 못 만난 걸지도 몰라' 하며 파랑새를 찾듯이 방황하기 쉽더라고요. 어떤 일을 시작했다면 쉽게 다른 곳으로 눈을 돌리기보다는 하는 일을 잘게 쪼개보면서 내가 좋아하는 부분을 발견해보는 걸 추천하고 싶어요. 조금이라도 좋아하는 부분이 있다면, 그 부분을 인지한 상태로 조금 더 꾸준히 해보는 거예요. 조금 더 하다 보면 잘하게 되고, 잘하게 되면 더 좋아지니까요. 그렇게 일이라는 큰 카테고리에서 내가 좋아하는 일의 분량을 늘려가는 거죠.

사실 진저티프로젝트 인터뷰를 하기까지 고민이 많았다. 2019년
7월부터 12월까지 진저티에서 인턴으로 일했다. 인턴 생활은 내게
아쉬움이 많이 남았다. 진저티의 자유로움 속에서 좌충우돌하기
바빴다. 진저티는 내가 스스로 결정할 수 있도록 시간을 내어 주고
기다려 주었다. 어떤 일을 맡게 되면 분명히 내 책임을 다해야 했다.
그러나 내가 할 수 있는 일과 그렇지 못한 일을 정확히 알기 어려웠다.
할 수 있는 때와 그렇지 못한 때를 구별해내지 못했다. 일의 결과는
들쭉날쭉했다. 탁월할 때와 그렇지 못할 때가 계속 반복됐다.

진저티에서의 생활은 끊임없이 깊은 고민과 회고를 해야 했다.
대부분의 업무가 어떻게 연구하고 풀어낼 것인지에 대한 고민이었다.

나는 생각하는 근육을 충분히 갖고 있지 못했다. 생각하는 것은 쉬운 일이 아니었고, 본질을 찾으려는 움직임은 많은 에너지가 필요했다. 인턴을 마치고 우연히 진저티 인턴 명함을 볼 때면 충분히 고민하지 못한 지난 6개월이 부끄러워 명함을 보이지 않는 곳으로 치우기도 했다.

그럼에도 이 인터뷰를 할 수 있었던 이유는 진저티에서의 경험이 만들어 준 확신 때문이었다. 내가 어떤 길을 선택하든 결코 빈손으로 돌아오진 않을 것이라는 확신. 진저티에서 나는 생각하지 못했던 곳에서 배움을 얻었고 부질없다며 치부해버린 순간을 회고하며 깨달음을 얻었다. 새로운 일을 계속 찾아가는 에너지보다, 매사에 의미를 찾아내는 힘을 길렀다. 어떤 일을 하든 내가 얻을 수 있는 것은 나 자신에게 달려있음을 배웠다.

인터뷰 이후, 일상에서 진저티와의 인터뷰 내용을 되새기고 있는 나를 발견했다. 주변 사람들에게 계속 진저티와의 인터뷰 경험을 공유하고 싶었다. 2019년 12월, 인턴 기간이 끝나던 그때가 아니라 지금, 인터뷰를 통해 비로소 진저티와 아쉬운 마무리를 맺을 수 있게 되었다. 언제나 그렇듯 좋은 끝은 또 다른 시작으로 이어질 것을 기대하면서.

살림센터장 **강현숙**

글을 읽는 내내 입꼬리가 저절로 올라가 있었다. 진짜 궁금해서
던진 인터뷰어의 솔직한 질문은 군더기가 없다. 질문에 포장하지
않고 단백하게 응답하는 인터뷰이와의 대화를 읽으면서 정성스럽고
깔끔하게 차려진 건강한 밥상을 받는 느낌이었다. 읽는 내내 웃기도
하고 끄덕끄덕 하기도 하고 한단어 한단어 놓치고 싶지 않았다.

일을 시작하지 않은 20대 인터뷰이 눈에는 인터뷰어들이
대단해 보였을 것이다. 그냥 일도 아니고 본인들이 믿고 있는 가치를
비즈니스에서 실현하고 있는, 어려운 일을 차근 차근 헤쳐나가는
모습들이 말이다. 요즘 세대로 말하면 멋짐 뿜뿜이라고 생각했을
것이다. 내눈에 반짝 반짝 빛나는 여성들이다.

인터뷰를 읽으면서 인터뷰이들이 파도를 타고 있는 서퍼처럼

보였다. 밀려오는 파도를 억지스럽게 헤쳐 나가는 것이 아니라 넘실대는 파도에 유연하게 자신의 방식대로 대처해 나가는 서퍼의 모습이 떠올랐다. 어떤 때는 물속에 빠지기도 할 것이다. 물에 빠지면 다시 서핑을 하기 위해서 패들링을 하다가 다시 보드위에 일어나서 중심을 잡고 파도를 타는 서퍼말이다. 자신이 경험한 파도를 타는 방법을 인터뷰이에게 이야기하고 있다.

우리 사회는 협소한 기대에 따르라고 강요한다. 머리로는 아닌 줄 알면서도 자연스럽게 모든 사람들과 비슷해지려고 노력한다. 여성을 위한 공간인 스페이스 살림 개관을 준비하면서 스페이스 살림에서는 다양한 일을 하는 여성의 모습을 볼 수 있었으면 했다. 그래서 더더욱 '롤모델이 아닌 레퍼런스'라는 텍스트가 줌아웃하듯이 내 눈에 들어왔다.

각자의 파도를 자신의 방법으로 서핑을 하는 '여성의 모습'을 상상하니 설레인다. 인터뷰어와 인터뷰이가 말하는 것 같다.

"우리 서핑하실래요?"

루트임팩트 Impact Career PM **송예리**

"그때의 내가 가장 원하는 선택을 한 것 같아요. 그게 잘못된 길이었을 수도 있고 더 돌아가야 하는 길일 수도 있지만, 당시에는 나에게 제일 잘 맞을 것 같아서 선택한 거에요."

'지금 알고 있는 걸 그때도 알았더라면!' 그리 길지 않은 커리어임에도 불구하고, 꽤나 간절하고 진지한 마음으로 수십 번을 되돌려보는 선택의 순간들이 있습니다. 그래서인지 홍혜진 님의 말이 참 위로가 되었습니다. 그 당시 제가 가장 중요하게 생각했던 가치와 맞닿아 있는 선택들이 쌓여 지금의 저를 만든 것이겠죠.

김미진 님의 조언처럼 이미 선택한 것을 잘 받아들이고, 지금부터는 그 경험을 적극적으로 활용할 수 있는 방법을 그려보는 일에 저의 마음을 쏟기로 결심했습니다. 앞으로도 수많은 선택의 순간들이 찾아올 테고, 그 선택의 무게는 점점 더 무거울지도 모릅니다. 저 혼자만의 커리어가 아닌, 사랑하는 가족 그리고 저와 관계 맺고 있는 동료들에게 미칠 영향까지 가늠해보느라 두려운 마음이 들 수도 있습니다.

하지만 이 책에 기록된 12개의 인터뷰를 통해 확인했듯이, 저보다 한발 앞서 그 길을 가고 있는, 기꺼이 저의 선택을 지지하고 응원해 줄 여성들이 곳곳에 숨어있다는 것을 알기에 더 이상 외롭지는 않을 것 같습니다. 저를 비롯하여 이 책의 독자로 새롭게 만나게 된 이들이 다양한 방식으로 연결되어 서로가 서로에게 영감을 주는 멋진 레퍼런스가 되길 기대합니다.

나도 누군가에게 레퍼런스였다

by 진저티프로젝트 전혜영

처음 인터뷰 프로젝트를 맡게 된 건 경력단절 후 내게 주어진 간절한 다시 내-일의 기회였다. 삼성전자 11년 차 브랜드 마케터였던 나는 작은 소셜벤처에서 출판 프로젝트를 총괄하는 PM(프로젝트 매니저)이 되었다. 책 읽기를 좋아하는 독자였기에 책을 만드는 과정도 재미있겠다는 기대로 사업 전략을 수립하듯 출판 기획서를 잘 만들고, 롤모델이 될만한 커리어 우먼을 섭외하면 되겠다고 생각했다. 이 책의 저자인 20대 대학생들의 일 고민을 충분히 들여다 보기보다 목차를 구성할 인터뷰이 리스트를 만드는데 분주했다.

이런 내 계획에 브레이크를 걸고 생각의 전환을 유도한 건 진저티프로젝트 서현선 공동대표이다. 사회적으로 성공한 여성 리더를 찾기보다 자신의 삶과 커리어 고민으로 막막하고 두려운 20대 여성들의 목소리에 귀 기울여 보자고 제안했다. 나에겐 상당히 낯선 제안이었다. 하지만 그 제안에는 묘한 끌림이 있었고 그렇게 나는 정체를 알기 어려운 이상한 진저티 나라의 앨리스가 되어 저자들에게 좀 더 집중해 보기로 했다. 그들의 인생 고민을 한 걸음 앞서 경험한, 자기만의 길을 만들어가고 있는 선배 여성들을 한 명, 한 명 만나면서 인터뷰 프로젝트를 이어갔다.

이 책은 끊임없는 대화와 만남을 통해 만들어졌다. 시간이 흐르면서 프로젝트를 내 힘으로 이끌고 책임감 있게 완성해내야 한다는 부담을 조금씩 내려놓았다. 저자들에게 집중해 적극적 경청의 태도로 대화하다보니, 그들과 함께 주제에 대해 고민하고 질문하게 되었다. 그 과정에서 나도 일에 대한 새로운 관점을 만들어내고 탐색을 시도해 보며 프로젝트 시작점에서는 계획하지 못한 배움과 깨달음을 얻었다.

자신만의 독립적인 삶과 공간에 대한 한선회, 박지민 저자의 고민은 주체적인 삶에 대한 내 고민과 일맥상통했고, 좋아하는 것을 일로 선택해도 괜찮을지 치열하게 고민하는 이시은, 백선호 저자의 모습은 여성의 삶과 커리어 여정을 인생 고민으로 정했지만, 창업을 망설이는 내 모습과 닮아 있었다. 일과 자신이 추구하는 가치 사이에서 어지럽고 두려운 배태랑, 박예지 저자의 마음도 나와 다르지 않았다.

20대 대학생들과 40대 경단녀, 개성과 자신만의 가치를 누구보다 중시하는 MZ세대 저자들과, 순응하고 적응하기를 노오력 하는 것이 더 익숙한 X세대 기획자가 함께 만든 이 프로젝트는 어쩌면 양극단의 상반된 페르소나의 만남이지 않을까 우려했다. 실제로 1년 넘게 프로젝트를 진행하는 동안 크고 작은 위기도 많았다. 그 과정을 지나며 내가 혹독하게 깨달은 점은 기존의 일 문법을 내려놓아야 한다는 것이었다. 측정 가능한 목표를 정하고 갠트차트를 관리하기보다 진짜 대화를 나누는 법을 배웠다. 내 앞의 대상에게 집중하다 보니, 조금씩 더 깊은 대화를 나눌 수 있었고 가야 할 길이 보였다. 진정성 있는 만남과 진심 어린 대화의 방식을 택하였기에 이를 책으로 엮어 세상에 소개할 수 있었다.

17명의 인터뷰이와 함께 '진짜 대화'를 나누는 과정은 내게도 좋은 레퍼런스가 되었다. "인정받을 수 있는 정답이 있을 거라 상상하면서 자신만의 질문이 가진 가능성을 스스로 평가절하해서는 안 돼요. 나만의 가치와 성장을 동시에 모색하는 낙관적인 모험정신이 필요하죠"라는 조재원 건축가의 말은 나에게 한 발 더 내디뎌 보라는 격려가 되었다. 또한 "일이라고 생각하지 않고 경계를 버리니까 다양한 방법이 나오는 것 같았다"는 김시내 대표의 말은 내게 사이드 프로젝트를 시도해 볼 수 있는 용기를 주었다. 삶의 방식과 주거 선택에 좀 더 다양한 선택지가 제시되어야 한다는 백희원 활동가와 김하나 대표의 메시지에 공감했고, 생존 그 자체가 의미인 만큼 내가 지금 할 수 있는 일을 잘 해내는 것이 중요하다는 낫아워스와 FDSC의 메시지에서 고단함과 단단함을 느꼈다. 무언가를 자꾸 배워서 더 똑똑한 사람이 되려 하기보다 그냥 본인이 원하는 하고 싶은 일을 책임감 있게 해내는 것이 중요하다는 이민경 작가의 조언은 나에게도 깊이 새겨졌다.

　출판 경험이 없던 나도 이번 인터뷰 프로젝트 시작점에서는 20대 저자들과 마찬가지로 아마추어였다. 일 경험이 적지 않았지만 새로운 시각과 방식으로 프로젝트를 이끌어가는 여정은 낯설고 두려웠다. 오히려 변화하는 시대에 정답 같은 성공 방정식을 찾아 개별적인 여성의 삶에 적용할 수 없다는 데에 모두가 공감하면서 이전에 없던 새로운 방향을 그려볼 수 있었다. 우리만의 길을 찾아가기 위한 다양한 레퍼런스와의 대화가 이 프로젝트를 잘 마무리 지을 수 있는 비결이 되었다. 이상적인 롤모델을 찾아 벤치마킹하기보다 솔직하고 깊은 대화를 나눌 수 있는 인터뷰라는 형식을 통해 이 과정을 진행할 수 있어 감사하다. 어느새 나도, 20대 저자들도 '누군가에게 배워야 하는 미숙한 존재'가 아닌 '자신만의 시각과 방식을 단련해가는 주체'로 서게 되었다.
　잘 공감하며 응원하고 지지하다 보니 어느새 나의 일 근육도 자랐다.

각자의 자리에서 자신만의 방식으로 새로운 일의 영역을 만들어가는 당당하고 개성 넘치는 여성들이 있다는 사실에 든든함이 느껴졌다. 무엇보다 여성이 더 마음껏 일할 수 있는 안전한 판을 키워가는 데 에너지를 얻을 수 있는 커뮤니티가 필요함에 확신을 얻었고, '창업'을 결심할 용기를 낼 수 있었다.

전 직장 동료이자 이 책의 인터뷰이인 구글러 홍혜진은 "사회에서 롤모델로 자주 언급되는 '성공한 여성', 그런 분들은 저와 너무 거리가 먼 것 같고 나와 고민을 같이 나누는 동료들이 제가 이 길을 갈 수 있는 힘을 준 것 같아요"라고 말했다. 20대 저자들과 함께 성장통을 겪으며 만든 이 책을 세상에 소개하며 나도 좀 더 많은, 다양한 레퍼런스를 만들기 위한 여정을 준비중이다. 소수의 성공한 커리어우먼을 동경하기보다 서로에게 레퍼런스가 되어주며 각자의 일과 삶을 잘 가꾸어갈 수 있는, 서로를 지지하는 여성들의 커뮤니티를 그려본다.

이 책이 나오기까지 애써 준 저자들, 기꺼이 조연이 되어 좋은 대화에 참여해 준 인터뷰이들, 항상 기대 이상으로 디테일을 챙겨준 책 디자이너 정선은 님, 숨은 공로자 교정 교열 홍현진 님, 마음을 다해 보이지 않는 수고를 아끼지 않은 지혜 님, 늘 지켜보며 전폭적인 신뢰와 응원을 보내준 현선 님, 그리고 모든 진저티플 – 고운 님, 주은 님, 진향 님, 가은 님, 승현 님, 다니엘과 도연 인턴 두 분께 감사를 전합니다.

내 삶의 의미와 행복의 원천인 사랑하는 가족 – 신랑과 은별, 은총, 고마운 텀블벅 후원자분들, 마지막으로 연세대 김영미 교수님과 고등교육혁신원에도 깊은 감사의 인사를 드립니다.

롤모델보다 레퍼런스

레퍼런스3 나의 일과 가치가 공존할 수 있을까?

인쇄일　2020년 10월 9일
초판 발행　2020년 10월 15일

지은이　배태랑 박예지
기획　전혜영
편집　안지혜
교정 교열　홍현진
디자인　정선은
일러스트　백선호

펴낸곳　(주)진저티프로젝트
주소　서울시 마포구 양화로 12길 8-5 2층
이메일　admin@gingertproject.co.kr

ISBN 979-11-966047-4-5
ISBN 979-11-966047-1-4 (전 3권 세트)

이 도서의 국립중앙도서관 출판예정도서목록(CIP)은 서지정보유통지원시스템 홈페이지
(http://seoji.nl.go.kr)와 국가자료공동목록시스템(http://www.nl.go.kr/kolisnet)에서
이용하실 수 있습니다.(CIP제어번호: CIP20120033047)